虚構の戦後レジーム

保守を貫く覚悟と理論

東北大学名誉教授
田中英道

啓文社書房

虚構の戦後レジーム　保守を貫く覚悟と理論

目次

序章　私が選んだ道

果たして日本は負けたのか――8
私が選んだ学問への道――12
孤立と責任――16

第一章　虚構の近代

思想に過ぎない「近代」――20
フランス革命の過大評価――23
ユダヤ人とキリスト教――27
近代を日本の中に探そうとした江藤淳――31
近代化と呼ばれたものの正体――34
意味と近代――36

岩倉使節団の失敗──38
福澤諭吉の功罪──40
「科学教」という宗教──42

第二章 戦後の空間

戦後民主主義は共産主義への道──48
仕組まれた戦争──51
ルーズベルトとユダヤ──55
戦後の解放感──61
共産党の潮流──64
共産主義の幻想──67
安保闘争後の潮流──70
文学を自らに課した三島由紀夫──71
党派性に陥った日本の学問──76
論壇と社会主義──78
フランクフルト学派とは何か──80
反権力と反権威の仕組み──83
フランクフルト学派と日本共産党──86

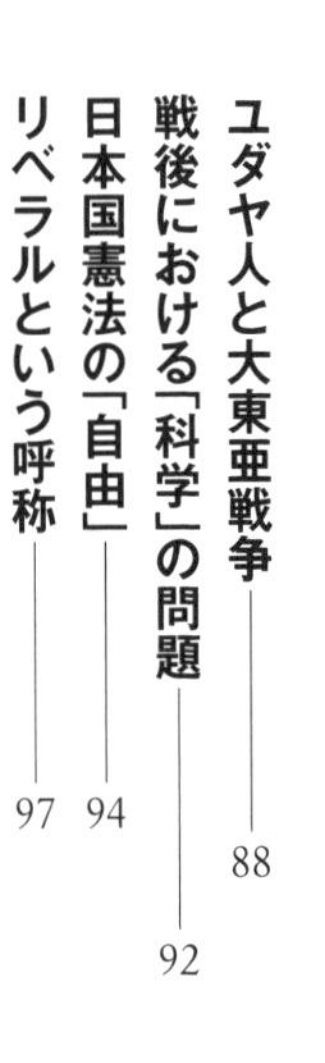

ユダヤ人と大東亜戦争——88
戦後における「科学」の問題——92
日本国憲法の「自由」——94
リベラルという呼称——97
イタリアのグラムシの問題——99

第三章 日本の特別性

存在しない二項対立——106
神話と歴史の連続性——109
西洋が理解できない部分——113
「人間」と書く日本——117
「我」の問題——119
社会に反映する家族の意識——121
現実の人間への視線——125
日本人が信じてこなかったもの——128
科学的思考の下地——131
日本語が難しいことの良さ——133
列島の利——136

感情の尊重　137
武士の本音　141
日本の「公」　145
日本の「私」　149

第四章
現代の問題

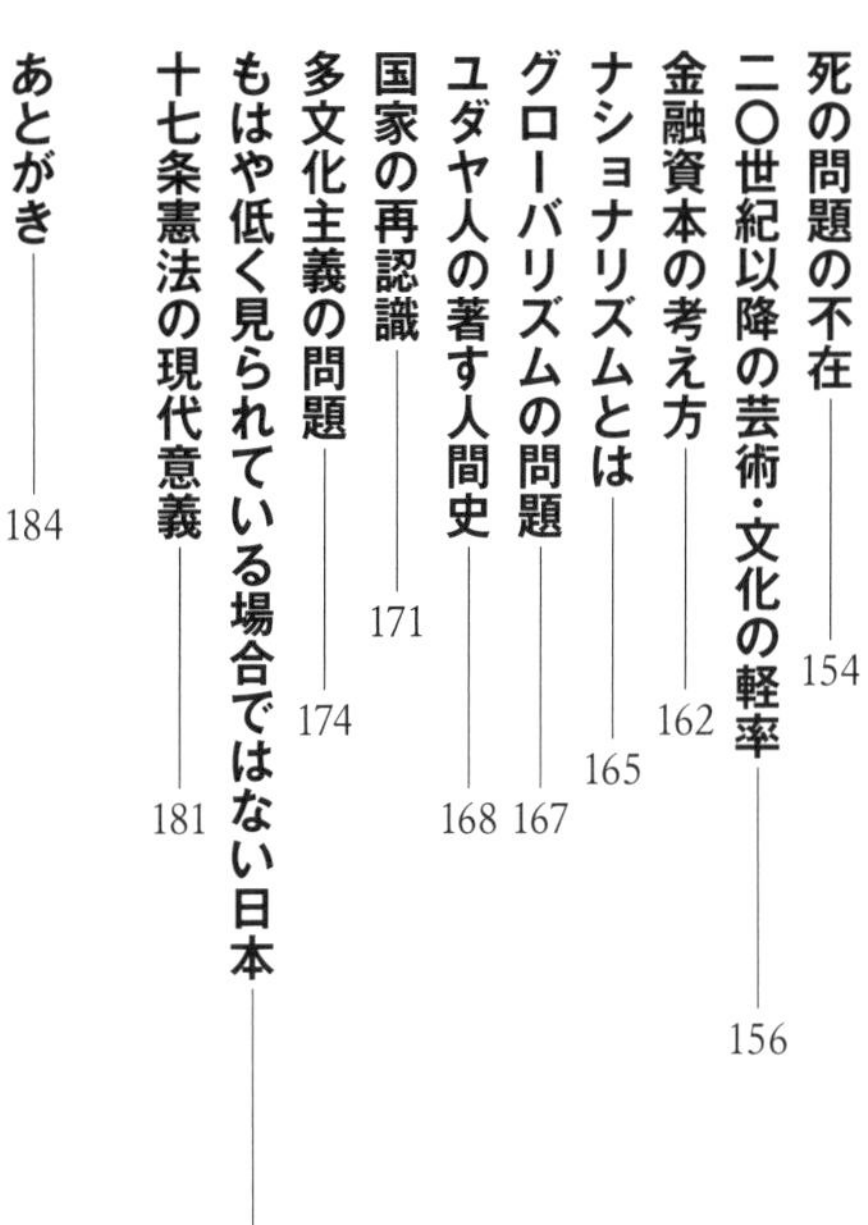
死の問題の不在　154
二〇世紀以降の芸術・文化の軽率　156
金融資本の考え方　162
ナショナリズムとは　165
グローバリズムの問題　167
ユダヤ人の著す人間史　168
国家の再認識　171
多文化主義の問題　174
もはや低く見られている場合ではない日本　176
十七条憲法の現代意義　181
あとがき　184

序章

私が選んだ道

●米軍による長崎への原爆投下
1945年（昭和20）年8月9日（木）午前11時2分、アメリカ軍の原子爆弾「ファットマン」が長崎に投下された。核爆発によって生じる巨大な雲は、その形からキノコ雲と呼ばれている。

果たして日本は負けたのか

私は終戦の年には長崎の近くの香焼島（こうやぎ）という所に疎開しており、そこで原爆を体験したのです。家の三和土（たたき）に降りたとき、パッと光が輝き、祖母が私を抱き上げてしっかりと抱えてくれました。もちろん私は幼年でただ光を感じるだけの存在でしたが、祖母の様子には、こんなことは初めてだという驚きがあり、そして強い温もりを感じました。祖母はその二年後に亡くなります。

東京に帰る疎開列車は溢れんばかりでした。汽車に乗るのに窓から入る人もたくさんいましたが、争う様子はなかったと思います。しかし、決して、そうした人々の気持ちの中に敗戦の惨めさというものは感じられない。私は、三歳の時の経験でそう感じたものでした。

もちろんその後、日本は戦争に負けたのだということを聞かされ、それにまつわる写真などいろいろなものを見せられました。しかし、私自身には負けたという意識は生じなかったのです。

そして、日本は負けたのではないという態度こそが正しいということは、私の著述の歩みである『戦後日本を狂わせたOSS「日本計画」―二段階革命理論と憲法』（展転社、二〇一一年）、『戦後日本を狂わせた左翼思想の正体―戦後レジーム「OSS空間」からの脱却』（展転社、二〇一四年）、『日米戦争 最大の密約』（扶桑社、二〇二一年）などの著作で実証しようと試みました。先の戦争は、天皇が始められ、天皇が、苦しみに耐えてすべて新しくやり直しましょうという詔を最後に発せられて終わりました。左翼勢力の言う戦争責任者、天皇陛下は生きておられ、多少襲撃を受けたものの皇居は壊れていません。京都はそのままであり、奈良も空襲されていない。無差別爆撃で日本中がやられたと多くの人が思っていますが、日本の肝心なところはやられていません。

戦後とは、つまり、「仕組まれた戦争の後の時代」ということです。最高の責任者が排除されていないということは、はじめからそれが約束されていたと感じられます。調べていく内に私は「OSS計画」というものに突き当りました。OSS計画とは、戦後世界をいかに社会主義化するかという計画と戦略でした。

OSS計画は、フランクリン・ルーズベルト米大統領及び米国務省の下で立てられた戦後統治計画です。ルーズベルトはある意味で社会主義者でした。ニューディールと呼ばれる社会主義的な政策で当時の経済危機を乗り越えようとしていましたが、にっちもさっちもいかなかった。大統領を三期も続けたものの少しも好転しないという焦りが、戦争による解決に向かわせました。しかし、アメリカの人々はやはり戦争などはしたくありません。失業者も多く、毎日が苦しくてたいへんだというときに戦争をやろうなどと言っても誰も話を聞かないわけですけれども、ルーズベルトは人々をその気にさせたかった。戦争が救いになるのだということを国民に伝えたかったのです。

ルーズベルトは、山本五十六、あるいは海軍の他の何者かを密かに呼んで真珠湾攻撃を実行させたと考えられます。真珠湾攻撃の際の暗号がすべてアメリカ側に解読されていたことは、後に公文書を元に分析されて明らかになっています。それなのにどうして成功したのでしょうか。日本は、米領フィリピンへの攻撃、英領香港への攻撃、マレー沖海戦など、初期の戦争はすべて勝ちました。零戦があり戦艦大和があり、確かに当時の日本は軍事的に世界最高のレベルにありましたが、やはりこれも不思議なことです。

新聞は日本の快進撃を大々的に報じて人々を酔わせ、やがて終戦を迎えました。私の前の世代、日本は絶対に勝つと教育されてきた少年たちは挫折しました。前世代の友人西尾幹二氏も、同じ東大の仏文科の大江健三郎も同様でした。

私は先に、「仕組まれた」と申しましたがそれは、本質的な意味で日本は負けてはいなかったのだ、ということです。日本はそれだけの守られるべき国であり、アメリカでさえ天皇を排除することはできませんでした。

江藤淳は『季刊藝術』で〝10年程〟ご一緒しました。昭和八年生まれで、夏目漱石をはじめとする文芸評論が専門ですが、政治に興味の深い人たちにもまた、『閉された言語空間―占領軍の検閲と戦後日本』(文藝春秋、一九八九年)という著作で広く知られています。

江藤淳についての論を日本で最初に書いたのは私でした。『沈黙』などの作品を発表してすでに著名な作家となっていた遠藤周作が編集長を務める文芸雑誌『三田文学』に、一九六八(昭和四三)年、「―或いは死とかがやき―江藤淳論」という評論を寄せました。私の最初の文学評論でもありました。遠藤周作も江藤もたいへん感激した旨の手紙を送ってくれました。

江藤淳は、敗北ということの中で、私とは異なる意識から、漱石あるいは小林秀雄といった日本の作家たちを論じ、何とか戦後を再建させようと考えた人でした。日本の再建、近代化ということにかけては明治時代からの先達がいます。江藤は戦後初期において、彼らは何をやったのだろう、どういうことを考えたのだろうというところから始めたのです。

ただし、私が「―或いは死とかがやき―江藤淳論」で書いたこととは、そうした一般的な江藤淳観とは少し違っていました。私は、江藤淳の書く文章の輝きは個人的な「死」にまつわるものである、と論じました。昭和二〇年代は結核との戦いの時代で、江藤もまたその病気のために日比谷高校を一年間休学しています。江藤はその時に死というものを自覚しました。だからこそ、この世というものが輝き、生きるということの意味を感じることができる。いつ死ぬものか分からないという基本的な意識が、以降、江藤の中にあり続けました。江藤は一九九九（平成一一）年、鎌倉の自宅浴室で手首を切って自殺されました。私の「―或いは死とかがやき―江藤淳論」には、何かすでにそれを予想していたという感があります。

私が選んだ学問への道

私の肩書の筆頭は大学教授ということになっています。東京大学の文学部で仏文科と美術史学科に在籍し、フランス・イタリア・ドイツに留学しました。ということは、学者の道を歩む決意でいたわけです。

ただ私は元々、小説を書こうと思って東大の仏文に進んだ人間です。一九六一（昭和三六）年に創刊して七年間で十号を数えた『東大文学』という雑誌があり、私はそこで十編ほどの短編小説を書きました。書いていく内に、フランスにはバルザックがおりモーパッサンがおりプルーストがおり、一生懸命書いても到底その域に行くとは思えないという気になりました。あるいは、幼少からずっと絵を描いていて高校時代には美術研究会で絵を描いていたということもあり、芸大に進んでもよいように準備をしていました。しかし、絵も小説も、現代の時代の表現ではない、今の時代にやるべきことではない、という感じを持つようになったのです。

これは実は深刻な問題でした。トルストイの『戦争と平和』やドストエフスキーの『罪と罰』などを読んでいると、これは世界全体を書いている、ということを感じます。こういうものが書かれてしまった後では、私たちは、世界をどのように書くべきかという職業的な意味での一つの見極めをしないといけません。才能のあるなしは問題ではなく、本当にこれに才能問題を超えた一生をかけてよいのかという問題があります。

漱石の時代には、小説が、東大に進むエリートたちがやるべきことの一つとして考えられていました。森鷗外もそうでしょう。谷崎潤一郎も東大出身であり、三島由紀夫もまた東大の法学部出身です。戦前からの流れでは一流の知識人が小説へ向かうということがありましたが、今、それはほとんどありません。私は、もう日本はそういう時代ではないと見極めたのです。

では、何をやるべきか。私に残されたもの、それは学問でした。日本では、書くということを中心とした学問があまりにも成り立っていません。ノーベル賞を受賞した日本人科学者がたくさんいるではないかと言われそうですが、それらはすべて細分化された部分の発見や発明で、全体を見通した学問というわけではありません。宇宙から微生物まですべて研究して、しかもそれを総合的に考えるということは稀であって、その場合は科学者はやはり対象を「物」として捉えます。人間の営みということについて言えば、「物」であるところの脳の産物として考えます。私は、科学という分野では人間を捉えることはできないだろうと見込みました。

東大ではまずフランス文学を専攻しました。特にフランスなどは自国の文学を世界一だと思っていて、日本人が仏文作品を読めたり仏語を話せたりしたところで最初から相手にされません。私はフランス語で論文を書いていましたが、講演をするときには必ず、あなたには通訳をつける、と言われていました。つまり、外国人の言葉はいくらやっても駄目だということで、それは、西洋人がいくら日本語を勉強しても駄目だということと同じです。

やはり芸術、それも美術だろうということを考えました。芸術には音楽という分野もありますが、音楽を聞くということは、言葉は必要としない、ということでもあります。しかし美術は、感覚的なものを受け取った上に、言葉になるものが半分あります。私は私独自の研究態度として形象学あるいはフォルモロジーと呼んでいますが、美術作品に表れた「形」をまず目にして、その「形」を素直に捉えた上で、そこに具象化されている文化あるいは思想に分け入って言葉で論じていくのです。

私は美しいものに敏感です。そして、学者として、美しいとは何だろうということも分からないといけません。しかし、この世界には専門に特有なディシプリン（disciplin、規律）というものがあり、その方法論に従ってのみ考えなければ、専門家としては生きていけないでしょう。過去の学者の論文を読み、レゾヌマン（raisonnement）と言いますが理由付けをして、その理由を成り立たせるエビデンス（evidence）を集める。そして少なくとも三つのエビデンスがなければ一つの論は立たないということさえ習得してしまえば、だいたいの学問で通用します。ただし、フォルモロジー、つまり、形を見てそれをどう受け取るかという学問は意外に西洋でも未開拓です。

私の学問の師匠に、「サン・サヴァン教会堂のヨハネ黙示録画の研究」という論文でパリ大学の博士号を取り、晩年に東大教授を務めた吉川逸治先生という美術史学者がおられました。『聲』という同人誌で三島由紀夫や小林秀雄などとも親しかった方です。

吉川先生は、はっきりと、日本人にはビジュアリテ（visualité）がある、目で見る力がすごくある、とおっしゃっていました。ここは、歴史的になぜ日本はかなり遅くまで文字の使用を取り入れなかったかということと関係してきます。

つまり、形で私たちは表現するんだ、表現したその形を読め、形というのは言語なんだ、というものを日本人は持っているということです。そこに縄文土器の凄さというものも立ち現れてきます。文字のない世界における時代の動きが分かってきます。精神の動きも分かってきます。

それが形象学（フォルモロジー）であり、私の選んだ美術史という学問です。

孤立と責任

東大の美術史学科大学院へ経て、フランスのストラスブール大学へ留学し、ジョルジュ・ド・ラ・トゥールという一七世紀の画家を研究した論文でドクトラ（doctorat）、つまり博士号を取得したのは一九六九（昭和四四）年のことでした。私がそうした学問的環境を作っていく内に、世界の知におけるマルクス主義化が進みました。すべてを物質の動きで捉える唯物論がはびこり、階級闘争史観で整えられてしまった歴史を見直すことは、歴史修正主義という呼ばれ方で批判されるようになりました。修正というのは、日本では良い言葉の一つです。しかしマルキストにとって、歴史に対する最も悪い態度とされました。

多くの知識人がそれに飛びつき、フェミニズムあるいはジェンダーフリーといった観点を持ち出してきました。フランクフルト学派というマルクス主義の一派の論調に乗り始めたのです。フランクフルト学派はフロイトの精神分析とマルクス主義を組み合わせ、人間は常に不幸であり、不幸を申し立てて異議を唱え続けることこそが人間の歴史というものである、という考え方を知識人たちに植え付けました。フランクフルト学派はまた、あらゆるものを、それ自体を問題とはせず、周辺を社会学的、つまり階級史観的に問題視する方法を採ります。例えば価格の決められ方や誰が買うものであるのかといったことが研究の対象で、そこにこそ重要な問題があるかのような学問的態度に変わっていきました。カルチュラル・スタディーズと呼ばれている、今なおもてはやされている方法です。報告だけの研究であり、それでいいとされました。本当であればそこに社会に対する批評、フランクフルト学派の流儀で言えばマルクス主義に基づく階級史観などが使われなければいけないはずですが、その概念そのものが不確かなものですから、とんでもない学問の没落が始まりました。

私は学者としてたいへん孤立しました。一八七三年に創設された国際美術史学会（Comité International d'Histoire de l'Art、ＣＩＨＡ）という歴史ある国際組織があり、私はその副会長を二〇〇四年から二〇一二年まで務めていたものの、孤立化は進んでいきました。一九七〇年代の初頭に私は東北大学に着任し、当初は関係者が仙台を訪ねてくれたり、折につけ私も東京には出ていったりするものの、ジャーナリズムは私を忘れていきました。仙台は、学問をするところとして大変落ち着いており、また、海外への滞在旅行も頻繁にできました。システィナ礼拝堂研究のために毎年三カ月、日本を留守にすることもできました。本物の学問をやるためには忘れられてもかまわなかったのです。しかしそれを実績と見てくれている人、信頼できる日本人というものはおられて、そのおかげで今もこうして学者でいられるわけです。

私は長く一人で活動してきていました。「新しい歴史教科書をつくる会」という運動とはたまたま出会いました。評論家でありドイツ文学者である西尾幹二氏がぜひやってくれというので、二〇〇一（平成一三）年から数年間、二代目の会長を務めました。すると、責任というものがありますから、現代史を見直すということになったのです。『戦後日本を狂わせたOSS「日本計画」――二段階革命理論と憲法』、『戦後日本を狂わせた左翼思想の正体――戦後レジーム「OSS空間」からの脱却』、『日米戦争　最大の密約』などの著作はそうした流れから生まれたものです。

一九四二（昭和一七）年の段階でアメリカにはOSS計画があり、天皇には手を出さないということが明文化されていました。占領統治すべく連合国軍総司令官として来日したダグラス・マッカーサーは一介の将軍に過ぎませんでしたが、その計画を承知していたのです。しかし、それが、天皇とマッカーサーの会談を起点として、あたかもマッカーサーが決定したというような歴史として描かれてしまっています。

ある意味で戦後は「政治芝居」の連続です。私はそれを仙台で、ずっと見ていました。そうした人生の流れの中で私の考え方というものは見えてきたのです。

第一章

虚構の近代

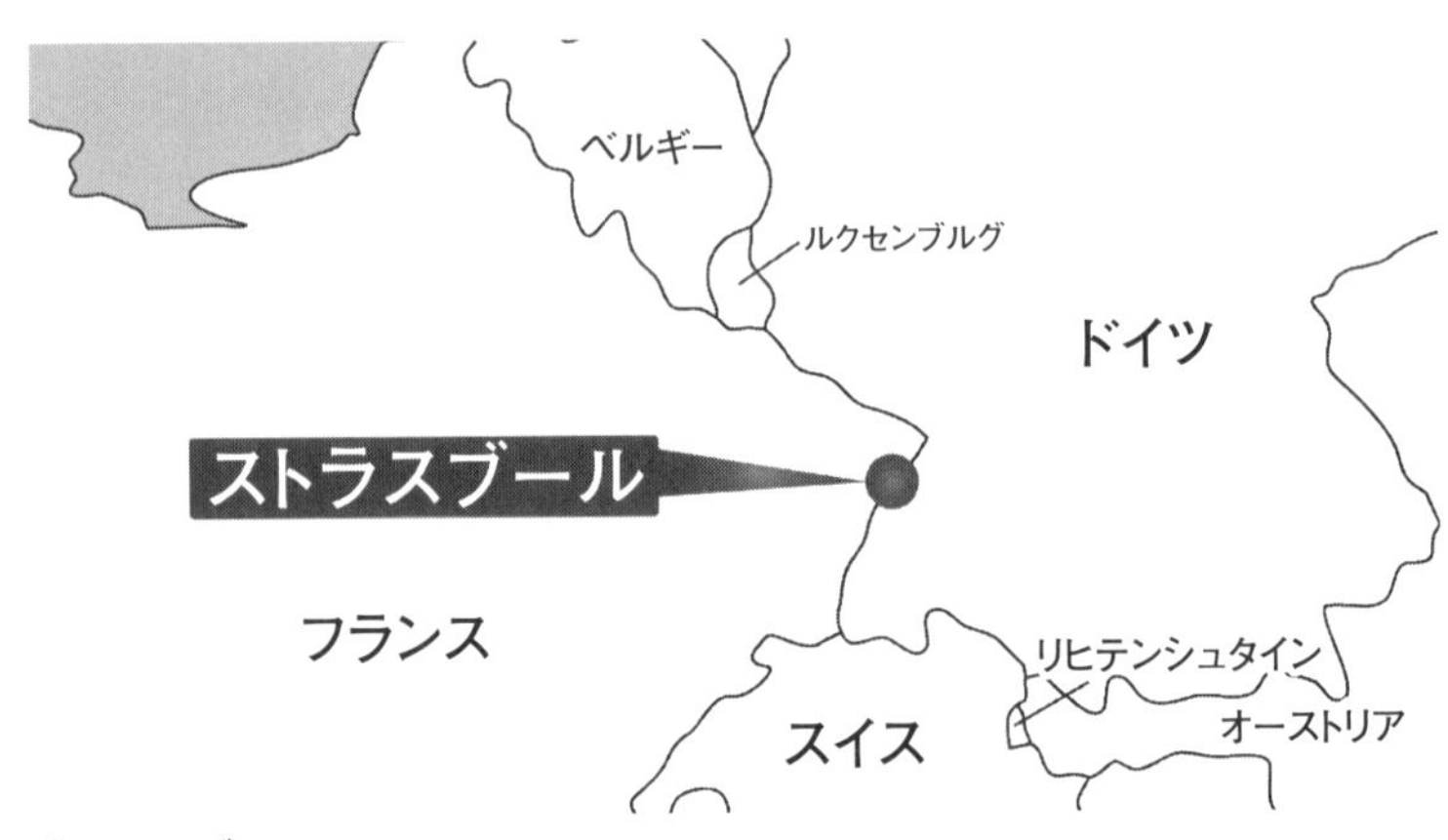

●ストラスブール
ストラスブールはフランス北東部、アルザス地方の中心都市。ドイツとの国境近くにある。欧州評議会の本部などのヨーロッパの重要な機関が設置されていて「ヨーロッパの首都」とも呼ばれる。

思想に過ぎない「近代」

すでに述べたように私は一九六六（昭和四一）年にフランスのストラスブール大学に留学して、一九六九（昭和四四）年に博士号を取りました。師匠の吉川逸治先生が友人の中世美術学者がそこにいるから、と言うので留学したのです。ストラスブールは中世の街である、パリは近代がうるさい。そうおっしゃっていたように思います。吉川先生は、ご自身も一〇〜一二世紀ヨーロッパのロマネスクを研究し、「人間は古いものが基本なのだ」としていました。先生の親友でグルベッキという名のユダヤ人の学者がおり、その方を訪ねました。その方の推薦で五年間、ストラスブールにいることになりました。

一七世紀の画家ラ・トゥールを研究している内に、フランスという国はゴシックの一五〜一六世紀の時代が一番良いということが分かりました。一八世紀後半からは

●ストラスブール大聖堂
ゴシック建築を代表するカトリック教会。13世紀に建築が始まり、高さは142mで1647年～1874年まで世界一の高層建築だった。人気はとても高く、年間400万人の観光客が訪れるともいわれる。

「近代フランス」などと言いますけれども、あれはユダヤ人が入ったがための近代であり、個人主義などと自慢していますが、実はそれはユダヤ人の個人主義です。フランスの正統のほとんどは一五世紀までにでき上がっていて、そこを見なければフランスは分かりません。非常に洗練された、見事に人間的な、形による表現です。

クリティック（critique）つまり批評評論の国などと言い、「言葉のフランス」だと考えられるようになったのはデカルトやパスカルの出た一七世紀以降のことだと私は見ています。イタリアにあった一三～一四世紀のダンテやペトラルカといった大詩人、大作家の系譜がゴシックまでの時代のフランスには存在しません。そのようなことを私はストラスブールで学びました。

『三田文学』に私の江藤淳論が掲載された一九六八年というのは、フランスが、いわゆる革命状態にあった年です。五月にはパリで学生と労働者の一斉蜂起があり、「五月革命」と呼ばれました。私は論文を書くために大学の地下にある図書館に籠もっていましたが、時に教室に顔を見せると、学友たちから「今はそんな研究をする時期ではない」などと言われたものです。

私は図書館に通い詰めながら、このストラスブール大学の古めかしさということを考えていました。街の中心地にカテドラルがあります。ストラスブールは典型的なゴシック建築の残る美しい街として知られています。当地独特の赤い石で建てられ、渋くて風格があります。フランス領でしたが、ゲーテは、これこそがドイツ精神だ、と言って讃えていました。

フランス人たち、またドイツ人たちも、古い時代が自分たちの文化だと思っているようにみえました。近代についてはかえって軽蔑しているし、近代は作り物であって必ずしも自分たちの語る対象ではないということを分かっている。私はそういう印象を持ち始めたのです。

日本では、近代西洋が初めて世界を制覇したのだということを歴史家が言い募ります。その影響で、留学経験のない、あるいはただ見て帰ってくるだけの人たちの多くは、古い建築さえも、つまり、西洋全体が近代というものに見えてしまうという錯覚を起こしています。住んでみると、古い建築にこそ近代が馴染(なじ)んでいるのだということが分かります。古い時代の延長なのです。近代などという時代はまだまだ短く、作られた、ある種の幻想に過ぎません。

そこで考えなければいけないのは、やはりユダヤ人の問題です。

フランス革命の過大評価

一七八九年に起きたフランス革命の大きな目的の一つはユダヤ人の解放にありました。ゲットーと呼ばれる居住区に押し込められていたユダヤ人は、フランス革命をもって旅行する自由と住む自由を得ました。これが、「市民の自由」ということに替えられ喧伝されたのです。つまり、王政によって広く厳しく市民の自由が抑えられていたから革命が起きたのだ、というようなことが言い始められたのですが、当時のロココ芸術の潮流一つを見ても分かる通り、普通の市民は不自由でも何でもありませんでした。メディアが世論を作るというのは今と同じで、ユダヤ人は新聞を組織しました。記事を書くのもユダヤ人でした。そしてフランス革命はいつのまにか「市民の革命」になっていったのです。

ユダヤ人はゲットーに住み、動けない状態のままでいました。しかし、ユダヤ人は金融を牛耳っていましたから王権はそれを利用せざるを得ません。融資がなければ予算が組めず、国家運営ができないという状況にあったのです。自由に旅行する権利も与えられていないユダヤ人と王権との関係には矛盾があり、最終的に、市民革命という名前を借りて、自らの自由を獲得していきます。革命の資金を出したのはフリーメイソンであるとかイルミナティであるとか様々に言われていますが、それらは基本的にユダヤ人たちの偽装団体です。こうしたことは古来よりあり、ローマ時代も経済

●クリュニー修道院
クリュニー修道院は11世紀の修道院運動の中心となったフランスの修道院である。創立は 910年で、建物の建設は3期あり、現存しているのは第3期の一部のみである。

を握り、シーザーのバックにもユダヤ人がいました。権力にはお金が必要だということはシーザーの時代から変わりません。また、シーザーが記録した『ガリア戦記』などを見ていると、ローマの進出に先立ってユダヤ人商人がローマ帝国の恐ろしさを宣伝していたことが分かります。戦争を掻き立て、戦争を起こすための資金を出し、戦争の需要によって利益を得るという仕組みは第二次世界大戦においても変わりません。

フランス革命では、八〜九世紀から建築が続けられて修道院としては西欧最高の巨大建築を誇っていたクリュニーという大寺院が徹底的に破壊されました。キリスト教によって与えられている、ユダヤ人とはこういうものだという偏見を壊したかった。そこで寺院の表面の建築をすべて剝ぎ取ってしまったのです。

こういうことが「近代」の始まりなのです。ストラスブールはドイツに近く、フランス革命の影響を受けずにいました。私はそこの大学にいて、やはりこちらの方が本物なのだと感じていたのです。フランス人たちは、確かにお祈りに通う方の数は減ってきていますが、基本的にはキリスト教徒であり、つまり伝統は持続しています。

フランスにはライシテ（laïcité）という政教分離の原則があり、無教徒という概念ができていて、これはフランス革命によって成立したものだとされています。しかし、モラルとすべての行動パターンは、やはり昔からあるキリスト教に基づいているのです。教会の附属施設として成り立ってき

●システィーナ礼拝堂（イタリア・バチカン市国）
世界遺産の「バチカン美術館」はバチカン宮殿内にある美術館の総称。ミケランジェロのフレスコ画があるシスティーナ礼拝堂は、そのバチカン美術館のなかでもっとも広く知られている。

た医療設備や教育施設などは、現在、独立した公共施設として国や自治体が運営しているわけですが、そもそも福祉という精神は、神のためというキリスト教の価値観がなければ成り立たないことです。

実は何も変わっていない。フランス革命が起きたフランスでさえ変わっていない。これが私の実感です。一つ前の世紀の英哲学者ですが、フランス革命に影響を与えた、『リヴァイアサン』で知られるトマス・ホッブズといった人たちは宗教の重要性をほとんど論じようとしませんでした。これこそ「近代」ということなのですが、例えばホッブズは、決定的な能力差のない個人同士が自然権を根拠に自然状態として万人の万人に対する闘争を行うのが歴史というものである、といった認識を持つわけです。私は、すでにここに間違いがあるという感じを持ちます。

私は西欧に渡って、ラ・トゥールのような非常に宗教的な画家を研究し、カトリックのメッカ、バチカンのシスティナ礼拝堂を十年間研究し、すべてのカトリックの総本山で研究を重ねてきました。

そういう私がなぜキリスト教徒にならないのか、ということです。日本人が基本的に持つ西洋そのものに対する違和感がそうさせているのに違いありません。これは、なぜフランス革命後もフランス人はキリスト教徒であり続けるのか、という疑問の答えでもあるはずです。

ユダヤ人とキリスト教

ユダヤ人には自分たちがキリスト教を作ったという自負があります。だから、批判するのも排除するのも簡単です。ユダヤ人であるマルクスが「宗教はアヘンだ」と言えば、科学こそがすべてに勝る正義だということにもなるのです。

キリスト教徒の数がこれほどに増えたのは、「必ず奇跡は起こる」という言葉のプロパガンダが繰り返されたためです。ゲルマン、アングロサクソンはすべてそれを信じました。ユダヤ教は信徒を増やそうとしません。ユダヤ人であればそれでいいという宗教ですから当然です。悲劇と言うべきだと思いますが、キリスト教徒は子供のときの洗礼によって、「原罪」というものを負わされました。それによってキリスト教徒の数は拡大しました。なぜ原罪なのかとは誰も分からないまま、それを救済するのがキリスト教だと信じ込まされてしまったのです。

日本人に原罪意識はありません。日本は自然道であり、自然として生まれたときに穢れているはずがありません。日本では、子供は七歳まで神様で、死ぬ間際の六年間ほどは神に近づくということが言われています。自然がそのままを生んだ状態に近づけば近づくほど神になると考えるのが日本です。非常にうまい宗教を作っていると言うことができます。

西欧は逆です。神が自然を創り、人間も創り、あらゆるものを創ったとしますが、その神とは誰かということは誰にも説明できません。神父や牧師などあれだけ大勢の神職者がいるのだから誰かが説明しているだろうと思いがちですが誰もいません。私は、誰かが説明しているだろうと思い、一〇年間ほど研究しましたが見つかりませんでした。宗教画を描いた巨匠ミケランジェロを調べ、レオナルド・ダ・ヴィンチも調べましたが、彼らも全く確信を持っていません。

バチカンの最高の礼拝堂に法王が描かせたミケランジェロの『最後の審判』では、旧約の創世記の場面を見ることができます。絵画は、創世が実体であるかのごとく見せる最高の手段でしょう。私はキリストがどこにいるかをまず調べました。確かに雲の上にキリストはいます。その周りにも雲があり、そこは天国のはずです。多くの人がそこにいるわけですが、彼らは神によって未来が保証された人たちですから穏やかな顔をしています。ところが、作中に描かれたミケランジェロだけは不安な顔をして、キリストの口元を見つめています。つまり、キリストが口が開くのを待ってい

●ミケランジェロの「最後の審判」
審判者イエス・キリストを中心に死者のよみがえり、義人と罪人の選別、天国および地獄などを上下左右に配した。雲の上にキリストが描かれている。

るのです。

待っているだけであるのがキリスト教徒です。それをミケランジェロは描いていました。私は、これこそキリスト教の本質だな、と思いました。同時に、なぜ私がキリスト教徒になれない、あるいはならないのかということも分かりました。待っているだけなのであれば、待つ必要はないのです。

私は、日本の宗教が一番いいと思いました。自然の中にいるということ、あるいは自分が自然の一部だと考えるだけでよく、自然とともに生きるだけでいい。原罪もなく、未来を待つ必要もありません。日本人は自ずから、いわゆるオプティミストつまり楽観主義者です。期待などしなくていい、今を楽しんでいけばいい、今働ければいい、今食べていければいいという考え方が身に付いています。不安というものは、未来を考えること、期待することから与えられるのだということをあらかじめ知っています。

西欧は、周囲を信頼しない、というところから始まります。そこで言葉を重要なものとし、法律を頼りとします。法律に関して日本は、かつて中国から律令というものを移入され、幕末明治以降は西欧から法律を学びました。法律とは、不信の世界において、あるいは安心できない社会において、ある種の約束事を作ることであると言えるでしょう。日本には、そういうものなしに過ごしてきた歴史が厳然としてあります。時代的にはすでに縄文の時代からということになるでしょう。戦争をしなかったということは、争いを武力で解決しないということです。すでにその頃から安心して生きることができていたのです。それを日本の源流として大事にするべきではないかと思います。

近代を日本の中に探そうとした江藤淳

「近代」とは何か。「近代」というものは西洋においては成立しているけれども、果たして日本で成立するものなのか。江藤淳は、そういう問題で悩んでいた人です。

江藤淳は、日比谷高校の私の先輩です。江藤の世への出方は、戦後派としてたいへん颯爽(さっそう)としていました。一方に大江健三郎という作家がいましたが、私は、これはちょっと作り物だなという感じを最初から持っていました。江藤の文章はすっきりしています。自分の書きたいことが分かっていることの表れです。

江藤は、我々こそが近代を作るのだという気概と思想をまず漱石に求めました。しかし、明治天皇を追った一九一二(大正元)年の乃木希典(まれすけ)陸軍大将の殉死にたいへん動かされたということを書いた夏目漱石に出会い、江藤は、その時点で漱石論をやめている感じがします。

漱石は最終的に「則天去私」という言葉を使いました。「私」を去る、つまり、「私」のことは考えずに天に寄り添っていくという思想です。自然に消えていく、ということです。

江藤は、人間にとって個人というものは何かと考えました。日本においては共同体というものがあり、そこに天皇の存在がある。乃木大将というあれほどの歴戦の闘士が、天皇がお亡くなりなったときには自ら命を絶つ。その共同体を超えた個人を保つことこそ「近代」ではないか、と江藤は考えました。西洋の近代というものを追求しながら、日本の中にすでに潜在的にせよ、「近代」が存在するのではないかと感じたのです。

江藤が漱石の作品の中で最も注目していたのは『私の個人主義』というエッセイでした。そこに書かれた個人主義こそが現代の自分が立って生きて行く礎（いしずえ）だと感じているところに、漱石は「則天去私」を言い出す。『こころ』という小説で、「先生」は乃木大将の殉死を知って動揺するわけですが、江藤は、乃木大将のような生き方に感銘した漱石に驚いたのです。

それはまた、江藤を困惑させるものでした。これは近代小説と言えるかどうか、という問題です。乃木大将の自殺に感銘を受けている漱石に対して、これは保守そのものではないか、個人が自立していないではないか、近代ではないではないか、と感じました。伝統に依拠する以外にない世界に漱石もいたのだ、と江藤は思い、そこで漱石を論ずることを止めてしまいます。『閉された言語空間』に代表される江藤の社会評論、政治論、戦後論は、漱石論を止めたところから始まりました。

江藤が自殺した時、私は当初、江藤淳という人はむざむざそんな死に方をするような人ではないと思いました。「脳梗塞の発作に遭いし以来の江藤淳は、形骸に過ぎず、自ら処決して形骸を断ずる所以（ゆえん）なり」という遺書を残しましたが、江藤は、思考が困難になるという評論家としての職業的な絶望はもちろんあったでしょうけれども、日頃非常に強気で勝ち気な人でしたから、それだけで死ぬような人ではありません。

　江藤の死のちょうど十年前に昭和天皇の崩御がありました。その四年ほど前、一九八五（昭和六〇）年に江藤はフランスの民族学者レヴィ＝ストロースと対話を行っています。『神話と歴史のあいだ』というタイトルで『言葉と沈黙』（文藝春秋、一九九二年）に収録されていますが、江藤は対話の最後で、レヴィ＝ストロースを相手にしているのだからその必要もないと思われるのに、昭和天皇がおられたことを感激をもって語っています。当時、ご病気になられたというニュースも伝えられ、非常に心配していると同時に、ご平癒（へいゆ）を祈願して皇居に詰めかける日本の老若男女に感動しています。

　死に損なって十年間を過ごしてしまったということかもしれません。夫人の死ということもあり、寂しさがそうさせたという人も多いのですが、私はやはり、江藤は、自分は昭和天皇を追って命を絶つのだ、ということを言いたかったはずだと思います。つまり、江藤はそういう形でしか、自らが追求してきた「近代」というものと決別できなかったのです。営々と積み重ねてきた評論の作業は、近代を追求するという目的があったからこそ続けてこられたものです。書くことで近代を否定するわけにはいかない江藤淳の、けじめの付け方というものがそこにはあったことと思います。日本には「近代」など存在しない、と。

近代化と呼ばれたものの正体

多くの人は、馬車が自動車に、汽車が新幹線に、といった物質的なことを人々は「近代化」だと思っています。しかし、技術的な変化というものは戦争があれば常に起こるものであり、そうした進歩というものはすでにローマ時代にもあります。新しい技術を応用していくのが歴史というものであって、そこが分からないと、技術的な進歩は人間の心まで変えてしまうと思い、物質的な進歩が近代あるいは現代なのだと錯覚してしまいます。物理的に速度が上がる、能率が上がる、その追求こそが近代化であると錯覚するわけです。

しかし、人間の肉体は全く変わっていません。手が長くなったり頭が大きくなったりするなどということはなく、同じ肉体的機能の下で暮らしているのもにもかかわらず、人間の精神は、ある意味では快感であるにせよ物理的な速さが、何か実体のあるものであるかのように思わせてしまいます。そういうことも一つの虚構だと言うことができるでしょう。

失礼を承知で言いますと、例えばアフリカの人がヨーロッパに来る。これこそ進歩だ、近代だ、と感心したとすると、では、あなたは故郷では不幸だったのか、ということになります。家族の中で生き、農業をやり、漁労をやる。そこに変わりはありません。とはいえやはり資本主義の中では自然を相手とする営みを忘れてしまいがちになるわけですが、では、それが進歩なのかということになります。

日本は、新しい技術の応用といったことがかなり漸次的に行われてきた国です。アフリカの人がヨーロッパの発展を驚いて見るといった急進的な状況はありませんでした。今の研究者は、江戸の中に近代がある、と盛んに言い始めていますし、貨幣経済が始まる室町時代からが近代だ、と言う人も出てきています。鎌倉に近代は始まる、と言う人もいます。つまり、近代というものはどの時代にも設定できてしまうのです。

人間は何も変わっていないのだということが最も本質的な問題です。人間は進化する、歩き始めて猿から人間になり、今も進化し続けているという「進化論」が一九世紀に流行り、それがマルクス主義と結びつきました。社会もまた、進化ないし進歩しなければならない、ということになったのです。

二〇世紀のドイツ哲学者カール・ヤスパースは、今の社会の基軸はすべて紀元前六世紀から四世紀にできた、と言っています。プラトンがいて、もう少し後にはアリストテレスがいる。孔子も孟子も、あるいは釈迦もいて、あらゆる思想はその時期に出揃ったとしています。日本であれば縄文時代です。私は、縄文時代というものの理解をもう少し新しくしなくてはいけないと考えています。

■意味と近代

江藤淳はレヴィ＝ストロースとの対話『神話と歴史のあいだ』の中で、印象派に与えた浮世絵の影響について話題にしています。江藤は西洋に影響を与えた日本文化の素晴らしさを言うのですけれども、レヴィ＝ストロースは江藤とはまた違う視点から浮世絵と西洋の関係というものを評価していきます。

西洋において浮世絵は、一八世紀には出回っていました。印象派とは一線を画す古典主義的な画風で知られるアングルという画家がすでに浮世絵を知っていました。アングルは浮世絵に文化を見て、それを自身の新古典主義の中に取り込みました。つまり、アングルは浮世絵を西洋の絵画と同等のものとして理解したのです。ところが印象派の方は浮世絵に内在する文化を理解することなく、浮世絵という現象だけを見て真似をしたのだ、とレヴィ＝ストロースは言います。

浮世絵には作品ごとにすべて主題があります。富士山の浮世絵には富士山信仰があるのです。印象派はそれらを全く無視した。結局、日本の絵画作品というものを全く理解しようとしなかった。そう、レヴィ＝ストロースは言っています。

私は、確かなことを言うものだ、と思いました。レヴィ＝ストロースは美術史家になりたかったそうなのですが、これはその道もあったなと思わせる判断です。アングルは、浮世絵あるいは日本美術というものの存在を意識して、トルコ辺りで止まってはしまうもののオリエンタリズムへと行き、主題をギリシャに求めます。絵は光であると捉え、全く影のない浮世絵に感銘を受けていました。素人には決して分からない。しかしアングルはそれを自らの世界に取り込もうとしているということをレヴィ＝ストロースはちゃんと知っていました。

印象派は浮世絵の形の世界だけを取り上げました。風景あるいは静物画にこだわって描きますが、そこには「意味」というものがありません。例えばリンゴを描く場合、今まであればアダムの罪の神話など、あらゆることに図像があるのです。ところが、印象派はそれを全部削り取りました。印象派は、日本の浮世絵にその態度を見たのです。浮世絵には「意味」がない。形だけの美しさであり、色だけの美しさである。そう解釈しました。もちろん誤解なのですが、印象派はそういうふうにしか見ることができなかったのです。例えば北斎漫画の偶然的な格好の面白さというのは日本人にとっては日常生活の立派な姿なんだと言っても耳を貸さず、形の遊びとだけ見ました。誤解に基づいて、こんな面白いものがあると熱狂したのです。

印象派は近代というものを象徴しています。それまでの意味を削り取る、意味などなくてよい、とするのが近代という時代です。印象派の作品はただただ見るだけであり、確かに「印象」は受けるけれども、そこに何があるのかということになると、それ以前の絵画にはあった「意味」が剥奪されているのです。

江藤淳と私との違いは、そこを知っていたかいなかったかのところにあるだろうと思います。近代には何もないのだと気が付きつつ、江藤は近代を実体として見ようとし続けました。印象派は意味を持たないということを感じ取れなかったがゆえに近代を追求し続けざるを得なかった、と言うこともできるでしょう。江藤が書くという意欲をなくしたことそのことが、もう近代の追求はやめようというところと一致していると思います。

岩倉使節団の失敗

一八七一（明治四）年に、岩倉具視を特命全権大使とし、大久保利通、伊藤博文、山口尚芳、木戸孝允の四名を副使とする総勢一〇〇名を超える使節団がヨーロッパに送られました。二年ほどで帰ってきますが、使節団はそれでヨーロッパの近代を「見た」と思うわけです。表のところだけを見て、これは素晴らしい、と考えました。

岩倉使節団は、明治新政府の首脳が自らの目で海外視察するという確かに素晴らしいことではありましたが、考えようによっては逆に、あれが悪かったのだと言うことができます。具体的にそこにある事物の説明だけを聞くに留まりました。歴史的環境なり、あるいはユダヤ人の問題なり、周囲のある種の動機なり、保存の仕方なり、そういったことを理解するには私の経験からして少なくとも五年はいないと分かりません。論文が書ける、つまり、自分の意見を言えるようになるためには少なくとも五年の滞在が必要です。男女関係やいわゆる師との関係、あるいは友達関係の競争関係などいろいろなものが出てくることが大事であり、みんな同じ人間なのだ、ならば同じように事情というものがあるはずだ、という感覚になるためにはそれだけの年月が必要です。

その点で一番悪かったのは夏目漱石です。神経衰弱になって帰国するということが日本の知識人の一種のモデルとなってしまいました。江藤淳においてもそうでしたが、漱石がやはり日本の一番の尊敬すべき近代人だという評価があり、留学先で成功しなかったということが、そんなものだろう、とされてしまう。戦後になってやっとそれは克服され、実力者は海外へ行って様々な戦いを展開しています。音楽家や科学者に多いのですが、結果の優秀性だけではなく、海外で認識した精神性についてもっと語ってもらいたいものです。

岩倉使節団は、西欧を崇拝の的のみとしました。私は、そのために、明治という時代は使節団が費やした年月分だけ損をしているように思います。以降、西欧については分かってくるのですが、戦争という局面で言えば、第二次世界大戦ないし大東亜戦争が初めての西欧との真剣勝負でした。そこで、敗戦という意識を完全に刷り込まれ、真剣勝負は負の結果に終わりました。

原爆というもので、圧倒的にアメリカに負けたのだ、という強い意識を持たされたわけですが、原爆については日本も開発を進めて競っていたからこそアメリカは投下したのです。私も出版の協力にあたった『成功していた日本の原爆実験—隠蔽された核開発史』（ロバート・ウィルコックス、矢野義昭・訳、勉誠出版、二〇一九年）が明らかにしているように、終戦の年の八月一二日には現在の北朝鮮の地で原爆の実験に成功しています。この事実を誰も信じず、そんなことを日本がやるはずがない、そんな力など残っていなかった、というようなことばかりが言われ、日本の実力は相変わらず矮小化されたままでいます。

一方に社会主義者による日本の否定がありますが、他方に保守ユダヤ人だけではなく全人類による日本に対する肯定があると私は見ています。世界の社会主義化を目指した第二次世界大戦でさえ天皇を裁断せず、天皇が一二六代も続いています、そこには世界全体で日本を守ろうという意志があるはずです。その中核に保守ユダヤ人がいたということは確かであり、六〜七世紀の秦氏を代表する秦河勝などは聖徳太子を強く援助し、太子の考えるシステムが一番良いのだ、としていたのです。

福澤諭吉の功罪

西洋「近代」の理想した論は福澤諭吉から始まっています。一八七五（明治八）年に刊行された『文明論之概略』によって学問とは西洋学を学ぶことだという印象を与えます。西洋にこそ個人主義があり、民主主義があり、すべての理想がある。今とは違ってヨーロッパへは滅多なことでは行けません。観念だけが先行して理想化が過剰になり、そういった学者たちの態度は、戦後もかなり経ってから『「文明論之概略」を読む』（岩波書店、一九八六年）などといった本を出した政治思想史学者である丸山眞男（まさお）まで続きました。

マルクス主義も、理想化され過ぎた西洋として日本に入ってきたものの一つです。マルクス主義は、資本主義は人々を苦しめる、労働者の低賃金は何時までも変わらない、という主張を通して日本の社会を惨めに見ました。理想化とは、西洋は立派である、自分たちは劣っている、と考えることであり、自虐史観は福澤諭吉から始まっているわけです。

マルクス主義は、一八四八年の『共産党宣言』など、一九世紀半ばにおけるカール・マルクスとフリードリヒ・エンゲルスという二人のユダヤ人の一連の言論から誕生したイデオロギーです。マルクス主義を信奉したために、一九世紀、二〇世紀の世界は非常に荒廃しました。物質主義であり、精神、宗教が否定されたからです。

しかし、宗教は今もあります。それがなければ葬式もできず、結局そういうことは必要であり、観念論批判では対応できません。人間の肉体がある限り必要であり、死というものがある限り観念論は必要なのだから、したがって別にそれを、古いものだ、とか、必要のないものだ、と思うこと自体、必要がないのです。

日本人は、そうした意識を自ずと持っています。毎年七〇〇〇万人から八〇〇〇万人の人が初詣に行きます。年に一度は神様を拝んでおかないとこの世は過ごせないと思うことに理屈はありません。マルクスは「宗教はアヘンだ」と言いましたが、そういうものではなく、人間体質の中にあるものでもなく、心の習慣とでも呼ぶべきものです。それをしないと寂しくて仕方がないということがあり、そういうことをしていても、おまえは本当に右翼だ、などと言われることもありません。マルクス主義者であっても葬式はやり、その際には宗教的な儀礼を述べます。単純に考えてこれはおかしなことです。マルクス主義自体がまず偽物であり、それを理想化する日本人が間違っているという二重の誤りを犯していると言えるでしょう。

「科学教」という宗教

一八六二年にロンドン万博というものが行われました。一八五一年に世界初の万博として第一回が行われ、ロンドン万博としてはこれが二回目です。展示会場の建築には鉄柱が使われ、ガラスが使われました。つまり、技術的に進んだということが示されたわけですが、このときに人々の意識に強く入って来たのは「科学」という概念でした。人々は、科学が技術を革新して宗教をも超える、科学があらゆるものの中心である、と考え始めたのです。それまでの西洋はキリスト教史観で世の中を見ていたわけですが、それがガラガラと崩壊していきます。

　ロンドン万博にはロシアの作家ドストエフスキーも訪れました。そして、人々は科学の前に跪拝しようとしている、といった冷ややかな感想を残しています。つまり、一九世紀の西欧において、科学教という新しい宗教が誕生してしまった、ということです。単なる技術の革新でしかないにもかかわらず、科学をもって語ればすべて素晴らしい解明が可能であるという錯覚が生まれました。そしてこれが今に続いています。

　科学は、自然を部分的には分かっているというだけのものです。科学者自身も、自分の範囲での知識が革新されただけだと思っています。しかし、汽車ができ、飛行機もでき、それらをさらに速く動かす技術が進んでいく。そういったことが科学の恩恵だとすれば、人々は科学は無限に発達するという錯覚と幻想を持ちます。ところが、あらゆるものには限界というものが必ずあります。

　科学においては、一度何かを獲得してしまうと、次にはそれが克服すべきものとなってしまいます。到達点がありません。常に進歩する、常に改良するということが当たり前になる、ということです。もしも止まってしまうということがあれば、もうこれ以上の進歩はないのではないかという絶望感が出てくる。進歩が無限にある、と錯覚したのが近代です。私はこれを、怖いことだ、と思います。

　ロンドン万博には文久遣欧使節団の一員として福澤諭吉も訪れています。ドストエフスキーとは違って福澤は万博の盛況ぶりに素直に感動し、日本の参加意義を熱心に語りました。福澤は歴史家であって文学者ではないということがよく分かります。

福澤には七月王政期の最期の首相も務めたフランスの歴史家ギゾーというお手本がありました。フランス革命以降の近代というものが非常に理想化されて書かれているギゾーの一連の著作をほとんど翻訳する形でまとめられたのが『文明論之概略』です。そこに、日本人が個人主義というものを身に付けられるかどうかという問題は扱われていません。

ドストエフスキーには神の問題があるように、文学者は、やはり個人主義を問題とします。福澤の楽天性は文学者ではないところに依拠しているようです。そして、その後に日本の文学者たちが登場し、問題を、我々は西洋の個人主義というものに追いつくことができるのかどうか、というところに集約させていきます。夏目漱石の「則天去私」は、日本人は結局は個人主義ではないということです。

福澤にしても漱石にしても、ロンドンの街並みを見て「石の文明」を実感し、万博を見て鉄鋼その他の新素材を知り、木材と紙による日本の建築と比較して、そこにある断絶を、日本は遅れている、と見たわけです。それ以降の日本においては、その遅れを取り戻すべく、凄まじい技術の進歩が試みられました。ロシアなどは威信の確保に集中して技術革新に興味を持ちませんでした。日露戦争の日本の勝利の要因には、そういうところもあるわけです。西洋の技術革新を立ち所に身に付け、戦争術にも長けている日本は、しかし西洋とは異なる根本的な日本の考え方及び精神に自信を持つことをしませんでした。森鷗外あたりは分かっていたようですが、日本と西洋のギャップを遅れと見る必要はなかったのです。しかし、大勢は、日本は革新されなければいけない、というものでした。

科学的という言葉が流行り始め、科学的人文主義などのようにすべてに科学的という言葉を付けることによって、近代は、「科学は学問である」と思い込みました。科学的というのは、単に論理的あるいは合理的という意味に過ぎません。サイエンスという言葉がある種の独り立ちをしてしまい、「科学教」という宗教に変わったのです。

ところがそこには精神的なものはなく、単なる唯物論的な信仰があるだけです。科学を知れば精神も分かるかのような錯覚に支配されていることは今も全く変わりません。脳をいくらいじったところで精神は出てきません。文化が違えば脳の内容も違うはずなのに、脳の構造は同じだから人間はすべて同じように考えるのだという幻想を持つのが科学教ということです。

第二章

戦後の空間

■戦後民主主義は共産主義への道

戦後の日本の状況を論じたものでは、江藤淳の『閉された言語空間―占領軍の検閲と戦後日本』がよく知られていますが、江藤がもう一つ踏み込めなかったことがあります。それは、言語空間を閉ざしているのはマルクス主義によるものである、ということでした。日本の戦後空間はアメリカの、民主主義と称する考え方で満たされていきます。しかし、それを先導したＧＨＱ民政局のケーディスやハッシーをはじめとする、つまり日本国憲法を草案した人物たちはすべて社会主義者ないし共産主義者だった、というところにいくべきでした。そこを知ることで、我々は完全に、保守にならざるを得なくなります。

そもそも、第二次世界大戦を主導した米大統領のフランクリン・ルーズベルトがソ連を支持する社会主義者だったと言うことができます。ルーズベルト政権はニューディール政策を採る中、スターリンに倣って社会を変えようとする動きを持っていました。ルーズベルトもスターリンもユダヤ系であり、左翼ユダヤ人の手によって社会主義世界を作ろうというのが二〇世紀の大きな流れでした。それを支持して資金的に援助したバーナード・バルークやポール・ウォーバーグといった金融資本家もユダヤ系です。特にソ連に対する援助には巨大なものがありながら一九二八年に着手された五カ年計画は映画『赤い闇　スターリンの冷たい大地で』（ポーランド・ウクライナ・イギリス合作、二〇二〇年日本公開）で描かれている通り華々しい宣伝の影で大失敗に終わっているわけですが、ルーズベルトはそうしたソ連の惨憺たる実態を知らずに日本を赤化する方針を立てていました。

その実行計画がＯＳＳ計画でした。ＯＳＳ（Office of Strategic Services、戦略情報局）を創設したウィリアム・ドノバンはルーズベルトの親友でした。天皇を平和主義者とし、軍国主義者を完全悪として日本を分裂させて内部抗争を起こし、社会主義革命に至らせる、というのがＯＳＳの基本方針でした。日本に対する計画は陸軍省のソルバート大佐が立案し提出したものですが、日本を社会主義化するラフスケッチが描かれ、天皇を軍事裁判に引き出さないということも一九四二年の時点で決定しています。ＧＨＱの統治方針の基本もそこにあり、それまでの支配層を追放して社会主義的傾向の強い人たちを要職に就ける、いわゆる公職追放といったことも行われ、戦後体制として残されました。

共産主義を日本に運び込んだのはアメリカであり西欧でした。日本人は、そこをわざと見ずにきたと思われます。民主主義とはソ連を肯定し社会主義を肯定する人たちが、実際に日本に入ってきて、やろうとしたことと日本国憲法は同じものです。革命の邪魔になる軍隊を持たずにおく第九条が用意され、憲法自体もまた二段階革命の実現ですぐに変わるものと思われていました。しかし、それを利用した革命運動がなかなか起きないということに、少なくともケーディスは苛立っていたに違いありません。

ＧＨＱ側の通訳を担当し、ケーディスの右腕でもあったカナダの外交官ならびに日本史学者ハーバート・ノーマンは、戦後すぐ、収監されていた日本の共産党員を解放することに尽力します。ノーマンの日本史学は共産主義に基づく歴史学であり、日本は天皇制を持つ前近代国であるとしていました。近代化する必要があり、そのためにはまずマルクス・レーニン主義に基づく二段階革命の第一段階目、つまり絶対君主制や封建制度などを廃止するブルジョア民主主義革命を発生させるという、その目的の中に戦後の日本は置かれました。

一九五〇年代にイタリアの共産党が打ち出して日本にも輸入された構造改革論、つまりフランス革命があってロシア革命があるという考え方を念頭に置いた理論が二段階革命の基本だと思われていましたが、そうではありませんでした。ＧＨＱが主導して戦後に流行したアメリカ型の民主主義こそが二段階革命の第一段階目であり、それが分かれば、日本の戦後は実は共産主義に向かって進み始めた時代なのだということが分かるのです。

日本の戦後に共産主義の存在がはっきりと見えてこないのは、フランクフルト学派というものが分かっていないからです。フランクフルト学派は特に二段階革命的な要素の強いマルクス主義の一派です。意識的に市民社会を作った上で、労働者に代わって学者や学生、中流社会人、文化人、言論人を革命の当事者として権力を倒すという段階を勝手に想定します。労働者と資本家の関係による革命はもはや不可能であるとし、フロイトとマルクスを結合した社会も悪いし人間も悪いという心理戦を展開し、徹底的に告発する批判理論を武器に戦わせる方法を取ります。

西洋においてはブルグ（Burg）つまり都市を作れば必ずブルジョアという有産市民階級が生まれますから、確かに市民社会の歴史というものがあります。産業革命や、資本主義の成立があって初めて市民という意識は生まれてきます。しかし、彼らの、キリスト教を信じる伝統的な意識はほとんど変わっていません。それを否定することが市民社会の理想だということでフランス革命はキリスト教を否定し、教会を破壊しましたが、結局キリスト教は残っているのです。

仕組まれた戦争

日米戦争は「仕組まれた戦争」でした。天皇が今おられるということから、私は確信しています。戦争を宣言された天皇がおられ、その天皇がまた終戦の詔を読まれたということ自体が不思議なのです。マッカーサーが来る前に自らが「耐え難きを耐え」と言われ、それで国民は奮起しました。天皇がおられるということは国体が守られているということであり、負けていない、ということです。

アメリカの主流と第二次世界大戦の戦勝国のほとんどは、戦争責任のある天皇を断罪せよ、と主張していました。最終的にアメリカが天皇を残すとしたのは「ＯＳＳ計画」があったからです。他の国には全く知らされていない計画でした。

天皇を残すということの目的は二段階革命の遂行にありました。一段階目の革命は古いものをとにかく壊していく段階で、そこでは天皇は残したままで日本を近代化及び民主化します。民主主義は民衆が主役ですから当然天皇という存在が薄くなる。「象徴」という言葉の意味はまさにそこにあります。ただの印であり、実際の権能を持っていないということですから、「どうしてこんな人がいるのか」という批判が世論を支配して内部抗争が起こり、二段階目の革命として天皇は消えて日本は社会主義化するだろう、と計画したのです。社会主義化にあたっては、野坂参三を中心とした共産党を使う予定でした。

当事、日本国内では多くの共産党員が収監されていましたが、野坂参三は違っていました。ソ連での活動経験もあり、アメリカに行き、アメリカ共産党とも接触していた人です。英語も堪能で、ある意味では非常にグローバルな人でした。慶應大学出身で社交的であり、海外で評判が良く、アメリカは野坂参三を将来の日本の毛沢東にする、つまり首相にするということを考えていました。当事知られた共産主義者に徳田球一がいましたが、野坂は天皇制打倒を唱える教条主義の徳田とは一線を画し、天皇を存続して利用するという立場を取ります。

『日米戦争　最大の密約』で述べていますが、私は日米の開戦には密約があったと考えています。「OSS計画」以前にルーズベルト米大統領には、とにかく日本に戦争を起こしてほしい、さもなければばアメリカがおかしくなるという前提がありました。戦争をすることによって軍事産業をまず活発化させ、一五〇〇万人の失業者を吸収するということです。

真珠湾攻撃の発案は山本五十六ですが、山本はかなり初期の段階から、アメリカへの攻撃は真珠湾から着手すべきだと言っていました。この何か不思議な言い方に目をつけた日本関係者、当時駐日大使だったジョゼフ・グルーあたりの関係者が山本五十六に声をかけたのです。大統領が戦争を望んでいる、日本から仕掛けてくれ、あなたの真珠湾攻撃のプランを遂行してくれ、絶対に見ないようにする。その代わりに天皇には絶対に手を出さない、としたのです。当時の総理大臣は近衛文麿ですが、近衛は山本五十六から話を聞いていたはずです。近衛は社会主義者だったと言う人もいますが、やはりそういうことはなく、天皇を守るということを最優先としたことは当然です。

この前置きがなければ、「ＯＳＳ計画」は出てこないはずです。アメリカ側だけのストラテジー(strategy、戦略)で、天皇を断罪しないでおくという議論はおそらく出てきません。日本が受け入れるという条件があって成立する戦略です。密約があったことは確かです。始まったら何が起こるか分からない戦争という状態の中で天皇は残されました。

天皇のこととともに、京都や奈良は壊さない、伊勢神宮はじめ大きな神宮も壊さないということも密約されました。日本を社会主義化するという主旨の「ＯＳＳ計画」は、天皇を利用して二段階革命に導くという方向へと定まりました。社会主義化ということであれば、あえて言えば最初から排除することも考えられますが、そうならなかった前提として「日本に戦争を仕掛けさせる」ということがあるわけです。

真珠湾攻撃の実行はハワイ時間一二月七日、日本時間八日の未明と決まりましたが、その詳細を知っているのは海軍だけで陸軍は蚊帳（かや）の外でした。陸軍は東南アジアでの開戦という展開を考えていたようですが、結局は真珠湾攻撃の成功をもって陸軍も勝利していきます。最初の餌として真珠湾攻撃の成功を条件として始められたということができます。そうでなければあれほどの無謀を山本五十六は、やりはしないでしょう。山本五十六の奇襲だとされていますが、それは後付であり、明らかにアメリカからの提案ないし要望があった上で、大丈夫だという確信の下に作戦は遂行されたのです。

アメリカは周到です。アメリカの世論を開戦に導く役割を日本に頼み、日本はそれに応えました。開戦のきっかけとしてよく語られるハル・ノートにはコーデル・ハル国務長官の案と財務次官補ハリー・ホワイトの案の二つがあり、日本にはホワイトの案であるホワイト・モーゲンソー（モーゲンソーはホワイトの上司の名）案が出されたわけですが、このホワイト・モーゲンソー案については実はアメリカの中央は全く関知していません。ホワイトはソ連のスパイでもあり、社会主義者でした。

二〇世紀においては戦争があれば、そこには必ず社会主義化ということがありました。日本国憲法の第九条もその一環です。社会主義化するためには、民衆の蜂起を弾圧する軍隊があると困るのです。戦後という状態には、左翼的な破壊の部分と、日本を守るという部分が錯綜(さくそう)して入っていたと言うことができます。

■ルーズベルトとユダヤ

日本人の多くは西欧の宮殿というものを、がらんとした美術館のようにイメージします。当時の支配者の美意識に従って建築家が作るわけですから、宮殿には当然、美意識や趣味、支配者としての考え方が反映され、権威が示されているわけです。しかし、明治以降の日本に入ってきた西欧には人間がいてその生活があるという実態がなく、日本人にとっては美術館のようながらんとした感じが西欧であり、海外の文書や公式発表などを辿るだけであるのが西欧の歴史です。

当然、そこには裏があり、書かれた歴史の下に生活があり、はっきりと言えばユダヤ人という問題があります。ルーズベルトの問題は、まさにそれでした。ルーズベルトが民主主義に見えたのはプロパガンダによるものであり、ルーズベルトがユダヤ系だったということがなければ、彼が共産主義者あるいは社会主義者だったという問題が分かりません。

ユダヤ人にはユダヤ人の救済という問題がまず存在し、普遍性はその次に来ます。ユダヤ人の末来というものをいかに普遍的な言葉にするかということで操作が行われ、マルクスもまたマルクス主義を打ち立てました。ユダヤ人はディアスポラ（離散者）であり、どこの国に行っても余所者であると同時に少数派です。ところが、ユダヤ人は商売というものができる。それぞれの国で何が必要とされているかという情報の収集と活用は、世界中に散ってネットワークを形成しているユダヤ人だからこそのものです。帰れる国がないということから、彼らは今いる場所での商業を徹底するのであり、インターナショナリズム、つまりグローバリズムが根底から身に付いてしまいます。情報を糧に、ある時代にはオランダに集まり、そしてアメリカに渡った。それがユダヤ人という人たちです。

ルーズベルトは、一七世紀にオランダに移住したローゼンフェルトというユダヤ人一族の家系にあります。ただし、アメリカ人はそういったことはあまり意識させません。ユダヤ系であるのは別に驚くようなことではないからです。この部分を分からないとアメリカは分かりません。日本の多くの研究者あるいはアメリカ批判に立つ言論人にはユダヤという問題意識が欠けているためにナショナリズム批判のみに陥りがちです。

ユダヤ人の思想ないし理論である共産主義あるいは社会主義は、建前としてはユダヤ人に限らない貧しい労働者のためのものです。ところがユダヤ人は、その理論を利用して、軍需産業をそのために起こすと同時に軍需を生む戦争を支援するなどして大きな利益を得ようとします。二重のトリックがそこにはあるわけです。

ルーズベルトは一九四一年の一般教書演説で「四つの自由」を提唱します。言論の自由、礼拝の自由、欠乏からの自由、恐怖からの自由、の四つです。これは、近代以前は封建国家であって封建体制がすべての人々を抑圧してきたという前提で述べられています。近代においてのみそういった自由が実現した、あるいは目指せるということを前提としており、典型的なマルクス流の進歩史観です。しかし、これは全くの嘘です。お互いに了解し合って生きるために、共同体の中で自由が保たれてきたのが国家の歴史です。日本でいえば縄文の時代からそうでした。竪穴式住居において非常に平和な家庭を作る。その家庭の連合が国家であるという意識を持つ。近代において、また、ルーズベルトの四つの自由で自由が始まったわけではありません。

それぞれの国には慣習があり、慣習が長く続くということにはそれだけの基礎というものがあります。その恩恵にあずかれずにきたユダヤ人が、近代にこそ自由があるとしたのです。ユダヤ人は言論を非常に好み、言論を自分たちの一番の武器にします。マルクス主義はその典型と言えるでしょう。

ルーズベルトの「四つの自由」は、国家を解体したいという意思を示しています。共産主義もフランクフルト学派も、未来の生活形態あるいは生存形態を予測することなしに、すべては現在が悪いのだというところから始めます。現在を克服するという気持ちにさせ、生きることの合理性の中で確立されていった伝統と文化を忘れさせようとします。

これはアメリカという国の個性でもあります。二〇〇年ほどしか歴史がありませんから、伝統も文化もなく、継続していけばいいのだという安心感がない。これがアメリカの一番の欠点です。二〇〇年間の過去の中で自分たちが作り上げてきたものがあるだけですから、確実性というものがなく、新しいものを常に求めていきます。ソ連で「五カ年計画」が成功しているといった情報が入れば、ルーズベルトは何となく真似をしてニューディール政策を開始してしまうわけです。

確実性は伝統と文化の内に培われるものです。日本は明治維新つまり維新、と言いながらもその実態は政権交代をしただけでした。街並みが近代西洋建築化され、風習が洋風化され、あたかも新生活が到来したように見えますが、家庭というものは基本的には変わりませんでした。日本人の生き方は変わらずそのまま続き、そして、それを壊そうとしたのが日本国憲法です。二段階革命の第一段階として、日本の家庭の在り方である家父長制を壊し、日本を市民社会にしてしまおうとしました。戦後、日本の知識人の多くはその思惑に引っかかっていったのです。

ルーズベルトは三期も政権を取るわけですが、ニューディール政策は失敗し、やはり戦争が必要だということになります。本来はドイツと戦う必要がありましたが、ヨーロッパは遠く、国民は誰も関心を持たない。そんなところに、日本がありました。日本がなぜあれだけの戦争を行うことができたか、零戦などの優秀な飛行機あるいは戦艦大和といった巨艦を造ることができたか。私は、そこにはやはりある種のユダヤの資金が入っていただろうと予想しています。日本の原爆開発は日窒コンツェルンという財閥が行った可能性が高いのですが、そこにもユダヤの資金の存在があったと考えています。

いずれにしても、戦争ということに対する資金を動かせるのはユダヤ人だけです。なぜかと言えば、ユダヤ人は国家を持っていないからです。国家予算に匹敵するほどの膨大な資金を持ち、自国、敵国、味方国を問わず戦争に向かって国を動かすという能力に長けており、第二次世界大戦においても同様でした。それはまた、近代という時代に限ったことではありません。

ユダヤ人は戦争に当事するいずれの国にも資金を出すということを見抜く必要があります。それは、言い方を変えれば常に交流が可能であるということであり、日本はそれをずっとやり続けてきた国だと考えています。日露戦争ではアメリカの銀行家ヤコブ・シフというユダヤ人に大金を借りて勝ちました。

ルーズベルトの「四つの自由」に見られる通り、ユダヤ人は、過去はすべて悪い、未来はすべて明るい、という発想を近代というものを通じて世界に与えました。未来には何でも成功すると思わせました。そこで彼らは自身の救済を普遍性に偽装してグローバリズムないしインターナショナリズムを主張します。それが誤りであるのは、今の中国の一帯一路構想の無惨な状況を見ても分かるでしょう。

「未来」という言葉は禁句だと私は考えています。現在ということが大事です。未来を言い始めると、確かに希望は与えられますが、それはいずれ虚しい幻想になっていくしかありません。かつて近代以前は「昔は良かった」と言うのが常でした。本当の知恵者は昔の話をします。未来は、と言う場合は、昔は悪いということを前提にしています。しかし、昔というものには様々な例があり、昔をもう一度作り出そうというのがヨーロッパの「ルネッサンス」でした。過去は分かっていますから、非常に地に足のついたものになるわけです。

ユダヤ人は一九四八年にやっとイスラエルという国を持ちました。これで変わるかと思いましたが、周辺のパレスチナあるいはアラブがイスラエルに反抗する態度を見せ続けました。しかし、アメリカにドナルド・トランプという大統領が出てから、やっと自信を持ち始めました。イスラエル中心主義という自国中心主義が醸造され、今までの世界連邦や国連構想といった幻想はなくなりつつあります。

現在、ユダヤはナショナル・ユダヤとグローバル・ユダヤに分裂し、グローバル・ユダヤが中国に加担しつつもそれが駄目になってきているということは明らかになっています。共産主義あるいは社会主義の末路が示されているように見えますが、その思想と理論を信じる人はまだ存在し、少数でも強力であり、あらゆるメディアが狙われ続けているというのが現代の状況でしょう。

戦後の解放感

一九四五（昭和二〇）年九月二日、降伏文書に調印して日本は連合国軍最高司令官総司令部つまりＧＨＱの占領下に入りました。しかし当時、一般の人々には一種の解放感がありました。自由が来たと錯覚した人たちは少なくなかったのです。江藤淳が『閉された言語空間―占領軍の検閲と戦後日本』で述べているように、ＧＨＱはウォー・ギルト・インフォメーション・プログラム（ＷＧＩＰ）を実行して、敗戦した日本の国民は一人ひとりが戦争責任を抱えているという意識を持て、ということを押し付けてきました。

しかし、当時の多くの日本人の捉え方は、敗戦ではなく、あくまでも終戦ということでした。終戦の翌年から昭和天皇が全国を巡幸されましたが、日本国民は圧倒的に天皇陛下を支持していました。戦争に負けたという意識ならば、天皇こそは敗北の責任者であり、今の自分たちが今日の食糧にも瀕するような状況に置かれているのは天皇のせいである、という態度が主流となっていたはずです。

西尾幹二氏が二〇〇八年から発刊している『ＧＨＱ焚書（ふんしょ）図書開封　米占領軍に消された戦前の日本』というシリーズを見れば分かる通り、ＧＨＱ占領下では、多くの本が廃棄されました。天皇の国家として封建主義的な日本を肯定している本、国粋主義的な本が廃棄されましたが、当時は、どのような本がどのように始末されたかということは日本人の誰にも知らされませんでした。二段階革命の一段階目である近代というものを、日本に作るためになされたことです。そうしたことを背景にして、日本には、マッカーサーをかえって支持して新しい統治者として受け入れる状況がありました。

先の戦争では基本的に日本とアメリカとの間にウィン・ウィンの関係があったということです。天皇はおられ、靖国神社に行けばいつも通りにお参りでき、京都も奈良も残っている。そういうことから、皆の感覚に、戦争は終わったのであって負けたのではない、ということが植え付けられたのです。

今に残る当時の写真は浮浪児や物乞いといった生活の困窮を物語るものが目に付きますが、一方で、アメリカ兵が来ても全く恐れない、アメリカ兵に憎しみを持たないという状況がありました。一九二三（大正一二）年に起きた関東大震災では一〇万人ほどが亡くなりました。東京大空襲でも同じほどの人々が亡くなりました。終戦は、関東大震災と並んで一過性のものに過ぎないものと受け取ったようなところがあります。伝統と文化が潰された、あるいは日本はもうそこで途切れたというようなことはおそらく誰も感じていませんでした。

小津安二郎の有名な映画に『東京物語』（一九五三年公開）があります。笠智衆と東山千栄子の演じる老夫婦が、東京で暮らす息子娘たちに会うために広島の尾道から東京に出てくるわけですが、会話を交わす息子たち、娘たちの様子には、ほとんど戦争の傷がありません。私は、これが本当だったのだ、と思います。

戦争があっても何があっても同じ生活がずっと続いている、ということです。生活の中で散歩も生まれ、歌も生まれ、絵も生まれ、美が生まれます。日本は、生活者というものは変わらないというところが一番どっしりとしています。家族というものの中で生活するということに一番信頼があり、自然がそれを守っているからです。

ヨーロッパ、また中国も同じですが、自然によって守られるべき人間が自然によって破壊状態になっていくということがあります。とはいえ、相当に強く日本と同じ部分もあるのですが、その部分が近代の言論で消されてしまっています。近代は言論を自立させようとした時代であり、そして言論は自立してはいけないのです。

憲法学者の宮沢俊義は、ポツダム宣言で主権が天皇から国民に移る革命が起こった、という「八月革命説」を唱えました。また、マッカーサー主導の下でGHQが日本を変えた、とはマスコミをはじめよく言われることです。しかし、私は、決してそういったことはなかった、日本は変わってはいないのだ、と考えています。

共産党の潮流

私の『戦後日本を狂わせたＯＳＳ「日本計画」―二段階革命理論と憲法』、『戦後日本を狂わせた左翼思想の正体―戦後レジーム「ＯＳＳ空間」からの脱却』は、アメリカがいかに、またどのように日本を変えようとしていたのか、という研究書です。マイノリティつまり少数派の要求をいかに掻き立てて運動を起こさせるか、ブラック・ライヴズ・マター（Black Lives Matter、ＢＬＭ）などの今まさにアメリカ国内で展開されているようなことを戦後すぐの日本に起こそうとしました。実際にそういうことは起こりました。労働組合組織が作られ、日教組も作られ、婦人団体も誕生していきました。

共産党の好機でしたが、野坂参三は、議席は獲得するものの結局、政権の奪取も革命もできませんでした。日本の経済構造は役割分担の世界であり、労働者階級というものも、打倒すべき階級というものも、日本には存在しないからです。

大学においては、従来の歴史観を持った学者はすべてパージされ、ヘーゲルとマルクスの理論を重視する丸山眞男をはじめとする一派が一斉に入ってきました。そのほとんどが共産党支持であり、日本のアカデミズムのすべてが変わりました。

ヨーロッパを見てみると、フランクフルト学派のユダヤ系ドイツ人哲学者テオドール・アドルノが一九四九年にエッセイの中で発した「アウシュビッツのあとで詩を書くのは野蛮である」という言葉が言論及び文化を支配し始めます。ユダヤ人の犠牲は全世界の犠牲であり、ホロコーストの問題は世界の問題だと思わせせました。特にドイツでは決定的で、殺されたユダヤ人六〇〇万人について、自分たちすべてのドイツ人に罪があると思い込まされました。しかし、史料をよく見ると、アウシュヴィッツで何人死んだかなど誰にも分かっていません。昔から、ユダヤ人が数を言うときには実際の一〇倍を言うのが相場です。私も何度もアウシュヴィッツに行って調べましたが、ガス室がたった一つあり、毎日毎事あれを使い続けていたのかということを考えるだけでも、数字は虚構だろうということが分かります。

しかし、アドルノの言葉のような形をとって叩きつけられると、その通りである、と考えがちです。それが宣伝あるいはプロパガンダというものの力です。死者の髪の毛や、眼鏡の山など、それらしい証拠に納得した気になり、罪の意識を持つようになります。ドイツ人はそれでやられました。『閉された言論空間』を書いた江藤淳は、戦後になってがらりと変わった左翼アカデミズムに沿った言論をしなければ疎外されるという危険性を感じていた人だと思います。彼は評論家です。評論家は、その舞台つまりメディアから追放されれば生きてはいけません。特に江藤は小林秀雄を継ごうとする人でしたから、保守を支持するようなことを言えば放逐されるという戦後空間の閉鎖性を身に染みて感じていたはずです。

江藤には本来、強く保守化していく可能性がありました。石原慎太郎と大江健三郎と江藤淳は三羽烏と呼ばれていました。石原慎太郎は『太陽の季節』で性的な自由、大江健三郎は『芽むしり仔撃ち』で戦後の新しい欧米の雰囲気を、あたかも自分のものにしたかのごとく小説を書き始めました。江藤淳は、民主主義の旗手という立ち位置で書き始めました。メディアから押し付けられた役割を演じたのです。どこで生きるかという問題がやはりあり、雑誌で名高くなることが、評論家あるいは知識人として一番重要だと思われました。そこを外れないようにしてきたのが二〇〇〇年ぐらいまでの知識人の在り方であり、大学のアカデミズムも同様に丸山眞男ラインでやってきました。いわゆる保守陣営ということで言えば、確かに、小林秀雄や福田恆存（つねあり）といった人たちがいました。しかしそこには、戦前からの、川端康成や谷崎潤一郎といった作家たちの同伴者であったことは否定できません。文学であるからあまり党派性がないということで生き延びたと言うこともできるでしょう。

　戦後、大学は、歴史の分野も含めてすべてマルクス主義的でなければ生き延びることができないということになりました。個人的なことをいえば、私には芸術家であろう、あるいは小説家になろうという思いが一応ありました。当然自分の才能が発揮されるところ、居心地のいいところへ行って仕事をすることを望んでいましたが、結局、小説家、画家、音楽家、映画監督といった道は捨てることになりました。なぜかと言えば、まさに戦後のフランクフルト学派がそこにあったからです。

●安保闘争
日米安全保障条約の改定に反対して展開された、日本の戦後史上、最大とされる国民運動。安保闘争は1960年と1970年の2回にわけられ、前者の時代の首相は岸信介である。

共産主義の幻想

一九六〇年の安保闘争に先立ち、共産党中央に反発する形で学生たちは独立左翼のブント（bund、共産主義者同盟）を結成していました。官僚化してしまった代々木派を乗り越えようとしたのです。『日本人を肯定する―近代保守の死』（勉誠出版、二〇一六年）でも取り上げた西部邁がそこにいました。いわゆる安保闘争というのは当時、おそらく世界の左翼運動の中でも最先端をいっていたと思います。少なくとも、西部邁は他よりも知的に見えました。ただしブントは、組織なんてどうでもいい、状況に応じて動けばいい、という方針で、毎年顔ぶれの変わる学生の自治会を使って運動を展開していました。

私は東大文学部の学生として駒場のキャンパスに入ったとたん、西部らのブントに関わることになりました。実際、本郷に移って文学部の常任委員会委員長に選ばれたのです。しかし、委員長としての事務を毎日律儀に執るつもりなど全くありませんでしたから、社会党の下部組織だった社会主義学生同盟（社学同）の学生に運営を渡していました。

つまり、共産党の組織擁護で固まった代々木的「ダラ幹」たちの方針と違い、自由な組織でいいのだということが、ブントの取り柄でした。しかしやってみようという感じだけがありました。行動は一過性のものでいい、という方針があったようです。西部駒場委員長のアジ演説の後、一九六〇年六月一五日に、国会に飛び込むわけです。私も行きました。国会に突入する限り、そこには政府と戦って新政府を建てるという社会主義的な意味があるはずでしたが、入っただけでした。ただ壊すということだけがあり、江藤淳などはこうした学生運動を「ごっこ」と呼んでいました。

とはいえ大学においては、マルクスを読まないと卒業ができない時代となっていました。私も関心がありましたから、研究会に加わり、大学紛争に関係した学生たちと一緒にマルクス及びその関係書を読みました。しかし、これは駄目だ、と判断しました。

例えば代表的なマルクス経済学者だった宇野弘蔵の言論は、マルクス主義に基づく経済サイクル理論のみで、実際の日本の資本主義社会をほとんど研究対象としていませんでした。独占資本主義などと言ったところで、資本主義の日本における形成過程と西欧における形成過程は違います。生々しい現実は無視して、資本主義、金融資本、労働価値といった言葉だけで作り上げた理論信仰の言論としか読めませんでした。『資本論』で世界を見れば、確かに労働者は貧しくなり格差は拡がるのでしょう。しかし、すでに一〇〇年以上前から、「格差が拡がり」と言い続けて、何も変わらなかったのです。

マルクス主義はユダヤ人によって作り上げられてきた理論です。私の関心は、ユダヤ人によって作られたという文化の問題に変わりました。マイナーな状況に置かれている抑圧された人たちを焚きつけて運動をさせる、常に言い立てて批判するだけで実現の必要は感じない、というのはユダヤ人の考え方です。

ユダヤ人は常に少数派です。今も世界に二〇〇〇万もいません。しかし、キリストもマルクスもユダヤ人です。アドルノや学派の指導者であるマックス・ホルクハイマーなど、フランクフルト学派のほとんどはユダヤ人です。理系を含め、アメリカのハーバード大学の教授の六〇パーセントはユダヤ人だと言われています。戦後のフランス哲学を代表するサルトル、フーコー、デリダなどもすべてユダヤ人です。

『1968パリに吹いた「東風」―フランス知識人と文化大革命』（リチャード・ウォーリン、福岡愛子・訳、岩波書店、二〇一四年）という本が話題になりましたが、この「東風」とは、パリの思想の中心人物がマルクスから中国共産党指導者である毛沢東に代わったということを表しています。しかし毛沢東などは、日本人が西欧に見ていたものと同じで、全くの幻想でした。私は1968年にはフランスにいたので直接話を聞いていたわけですが、「民衆の支持があったからこそ共産党は躍進した」

など、中国を勝手に理想化していました。

『戦後日本を狂わせたOSS「日本計画」―二段階革命理論と憲法』や『戦後日本を狂わせた左翼思想の正体―戦後レジーム「OSS空間」からの脱却』でも述べましたが、毛沢東は、OSSの組織から出た資金を使って共産党を大きくした人物です。同じ共産主義だからと言ってソ連が毛沢東を援助したわけではありません。打倒すべき資本主義社会のアメリカに毛沢東は援助されたのです。

あらゆることが幻想だと私が感じたのは、フランス留学の後でソ連の実態を見たからです。こんな貧しい国、疲弊した国を作っておいて何が社会主義だ、と思い、その後は運動というものをやめ、一九九〇年頃までは学問に専念していました。

安保闘争後の潮流

大人が動かず学生だけが動いたのが安保闘争でした。国鉄の尾久機関区で集会がある、国労つまり国鉄労働組合が動くと言われていましたが、動きませんでした。安保闘争以後、革命あるいは革命に近い政策変更などは不可能であるという絶望が蔓延しました。

しかし、一九六八年のパリ五月革命の影響で大学紛争が起きたりしたのは、運動は続けなければいけないと学生の多くが考えていたからです。しかし、その大学紛争なるものの目的は、単に先生の権威を否定するということだけにありました。東大では馬乗りになって殴られる教員もいて、先生たちの絶望あるいは屈辱感は強く、以後は東大という権威で語れなくなってしまいました。極左に走るグループもいて、内ゲバが始まり、学生運動は自壊傾向を示し始めていました。そこに乗り込んできたのが民主青年同盟つまり共産党系の左翼です。学者の多くは自立した左翼だったのですが、次々に共産党員になりました。一九八〇年頃から、東大は共産党に仕切られるようになったのです。思想的な議論において仕切られるのではなく、人事を共産党が握って絶対に離さないという状況が未だにずっと続いているために学問が非常に停滞しきっています。特に歴史学に進歩がなく、マルクス主義的な歴史観あるいは自虐史観から外れる新しい考察についてはたちまち「歴史修正主義」というレッテルが貼られてしまうような状況は相変わらず続いています。

文学を自らに課した三島由紀夫

『日本人を肯定する　近代保守の死』でも取り上げている三島由紀夫について私は一九七五（昭和五〇）年、雑誌『文芸』（河出書房新社）に「芸術と批評―三島由紀夫の死に寄せて」という論文を寄せています。

三島由紀夫は最初から文学者ではなく、東大の法科を出て大蔵省に入った人でした。文学自体は若い時から書いていましたが手遊びでした。文弱だったと言ってもいいかもしれません。同性愛の告白など、書く必要というものはありましたが、文学は男の一生の仕事ではないという思いは絶対にあったでしょう。小説家などにはなるな、と父親からも言われていました。しかし、三島は自分に才能があることを知っており、戦後、まだ書くべきことがあるのだ、ということを強いて自分に課したのです。

文才のあるという人は最初から書くことに喜びを感じる性向を持っています。また、三島の周囲には芥川龍之介や谷崎潤一郎といった文豪、あるいは文学者がいて、文章という表現自体の魅力というものが分かるという、当時はそういう時代でした。ところが世界文学史の上で言えば、プルーストやカフカといった世紀末文学を経て、ダイナミックな物語文学というものがなくなっていく時代であり、実はそれは文学の衰弱の時代だ、ということです。

雑誌などで紹介されたロココ風の自宅の写真を見れば分かるように、三島には、西洋というものに対する非常な憧れがあったようです。同時に、天皇の存在をモチーフにせざるを得ない日本文学ということがありました。三島は、日本の中核は天皇であるということは知っています。しかし社会は、少なくとも左翼メディアあるいは知識人は、もちろんＧＨＱの占領政策がそうさせたのですが、それをすべて否定し始めました。三島はそれに抗し、自分一人がそこへ行く孤高の文学を引き受けようと考えたのです。

しかし、『金閣寺』という作品に代表されると思いますが、三島は、何かやはりすべてが滅んでいく、「滅び」を愛する方向へと行きました。したがって、当然、自分の文学もまた滅ぶのではないかというところに行ってしまうのです。同時にそれは「小説」という表現史の衰弱にも対応しています。

三島には、谷崎や川端に見られるような、日本的な、要するに旧仮名遣いで見事に書くという文学世界はありませんでした。戦前の体験がなく、新仮名遣いであり、どうしても戦後の日本の中にある。『豊饒の海』四部作、つまり『春の雪』『奔馬』『暁の寺』『天人五衰』の四巻が三島の最後の作品ですが、これは、日本回帰あるいはインドの思想など様々なものを取り込んで全体小説を作ろうとする試みでした。まさにこれを書くことは、自己の文学の終焉(しゅうえん)を意味していました。

私は、文学の世界こそが彼にとっての生きる中心だと思いました。天皇が人間宣言をされたということに対する三島の思いは、必ずしも天皇に対する絶望ではなく、小説というものに対する絶望だったのです。三島は、天皇が人間なのであれば、書くという職業を続けるか、あるいは続けられるかという局面で大きく意欲を失うことになると思ったのです。

三島にとっての滅びは、文学そのものを書くことの滅びでした。もはや文学はつまらないよ、ということです。とはいえ三島の時代は、まだまだいろいろな人が文学を論じていました。例えば中野重治にしても平野謙にしても、考え方は左翼ですが文学を愛しているというところがありました。

ところが、それさえもなくなっていきます。文学評論家がいなくなっていくという状況ひとつをとってみても明らかです。三島はそれを分かっていましたから、最後まで文学的でいようと思いました。切腹という一つの演劇行為で最期を迎えます。

少なくない人たちが三島の政治性を過大評価しているようです。保守思想の典型のように言いますが、文学者、三島にとってそういうものは二次的な問題だろうと思います。政治性が一次的なものであれば、三島は文学を続けてもよかった。しかし文学を捨てざるを得ない三島がいたのです。文学を捨てるということと命を捨てるということは、三島にとっては等価でした。

三島は一九六九（昭和四四）年に東大全共闘と討論を行っています。前年にはフランスで五月革命があり、実際には一部の動きに過ぎませんでしたが、あたかも世界中が革命の気風で沸き立っているかのようにマスコミは喧伝しました。日本の左翼は大きな影響を受け、すべてに対する破壊を決意しました。革命そのものはもう起きないけれども、永久に申し立てを行い、常に批判して攻撃し続けよう、ということです。無責任の極みであり、思想などとは到底呼べない態度がこの時代を風靡（ふうび）したのです。

わざわざ東大駒場の教室へ行き、「お前たちは革命家だろう、革命をやれ」と言った三島には絶望的なものがありました。三島は、学生たちには権力批判と権威批判だけしかない、という浅薄なものを感じたのです。学生には革命がない、ということです。

全共闘はマルクス主義を掲げていました。日本においてマルクス主義は、西洋かぶれ左翼ユダヤかぶれの人たち、という意味です。マルクスが考えたことなど、日本には全く当てはまりません。日本は基本的に自然を大事にしますから家族というものを見ます。マルクス主義は家父長制反対、つまり家族を解体する思想です。

労働者が立ち上がるという状況は失われ、代わって学生たちに、立ち上がれ、と言ったのがフランクフルト学派でした。フランクフルト学派の個人主義は、ディアスポラを運命づけられ世界を放浪せざるを得ないユダヤ人の思想です。しかし日本の学生たちはそこを全く理解していませんでした。その認識があればユダヤ人との連帯もあったかもしれませんが、ユダヤに対する理解は形だけのものでした。『夜と霧　ドイツ強制収容所の体験記録』（ヴィクトール・フランクル、霜山徳爾・訳、みすず書房、一九五六年）といったユダヤ関係の書籍はすでに数多く出版されていましたが、そこには、ユダヤ人を苦しめるナチスに対する憎しみなど、センチメンタルな影響だけがあったのです。

日本人の多くはユダヤ人の思想が理解できていません。ユダヤ人の多くは、思想家や歴史家においても身分や出自を明かさないので、彼らが書いているのは、フランスのこと、イギリスのこと、ドイツのことだと思っているからです。一八世紀以降、いわゆる近代においては、個人主義はユダヤ人にしか必然性がありません。ユダヤ以外は、国家があり、家族がおり、共同体があり、共通の伝統があるという人たちです。そこにユダヤ人がいることによって、異質な人たちあるいは少数派をいかに肯定するかという理論が必要とされ、フランクフルト学派の理論となっています。したがって普通の人たちあるいは学生たちが、その理論に染まってはいけない。そして、そういった人たちを染めることが、フランクフルト学派の運動、実践というものになっています。

■党派性に陥った日本の学問

二〇二〇（令和二）年、当時の菅義偉首相の新会員候補任命拒否で日本学術会議という内閣府の特別機関が話題になりました。日本学術会議は一九四九（昭和二四）年に発足した、「科学の向上発達を図り、行政、産業及び国民生活に科学を反映浸透させることを目的とする」とされる人文社会系及び自然科学系の学者陣から成る組織です。この組織もまた、基本的には戦後共産党が支配しました。例えば東大の国史学科や教育学部の教員には共産党員でなければなれないなどの内部の基準を作ってしまい、党派性だけが学問の基盤だということになったのです。

二〇世紀は、社会主義こそ善であるということばかりに支配された世紀です。日本はすでに述べたように左翼ユダヤ人たちの思想をそのまま西欧の思想として受け入れました。錯覚ということなのですが、西欧はそういうものであり、西欧の学者は皆そうであるから我々も従うべきであるという前提がまずこの団体にはあります。学問的に進んでいる欧米がそうした考え方を持っている、あるいは国連という国際機関を組織しているということを見て、やはりそれが正しいだろうということが最初からあるわけです。

それは明治以降の日本の学問の傾向です。特に、一九一八年（大正七年）から一九二九年（昭和四年）まで存在した東大新人会という学生運動団体が、ヘーゲルが入って来たらヘーゲル、マルクスが入って来たらマルクスが正しいという具合に主導していきました。まさに戦後になってその潮流が席捲したのです。自分で見聞きして自分で考えたことがほとんどない、中国が偉ければ中国、西欧が偉ければ西欧とする、いわゆる日本人の思想家あるいは学者の通弊が繰り返されているだけです。

今、日本学術会議の一つの改革案として、ほとんどが共産党系あるいは左翼系である人文社会系の学者を削り、自然科学系の学者を中心に再編するというものがあるようです。科学者を信用していいのかという問題はありますが、確かに人文社会系の学問は左翼化するだけでなく、戦後日本の人文学そのものが共産主義的であることを礼賛する道具になってしまいました。プロパガンダのための学問などはあり得ません。芸術もまた同じで、プロパガンダの機能を持つのであればそれは芸術ではありません。私はいわゆる独自な立場にあり、これからまさにやりがいがあるということでもある、と考えています。党派性などは一時的なものであり、本質的な人間の精神が反映されることで消滅していくものです。

■論壇と社会主義

論壇という世界にもまた、一九八〇年頃までは一応、共産党あるいは共産主義とは一線を画す自立した空間がありました。しかし、一九八〇年代以降、際立って左翼系の人たちが論壇に現れ、江藤淳といった人々の考え方は右翼であると思わせるような動きが出てきました。そのため例えば江藤淳は、自分は論壇にいられるのかという危機感を覚えたはずです。江藤は知的な市民主義、知的な近代というものを肯定的に追っていましたから、共産主義の問題が入ってくると対処できなくなるのです。もう一歩踏み込むと、当然、社会主義批判をやらなければならなくなります。

戦後論の著作を書き始めていた私は、これはもう社会主義批判をやらざるを得ないという覚悟を決めていました。敬遠されようが嫌われようが、論壇の反応などは問題にせずに戦後論を進めました。「新しい歴史教科書をつくる会」は一九九七（平成九）年に設立されており、初代会長の西尾幹二氏から連絡を受けて私が関わり始めたのは一九九九（平成一一）年のことでした。江藤淳が自死した年です。江藤が生きていたら、必ずこの方向に進んだでしょう。右翼と言われてもかまわないという形で社会主義の問題と対決せざるを得なかったはずです。

論壇は、共産党あるいは左翼が支配していくと同時に疲弊していきます。論壇雑誌の凋落を見れば明らかでしょう。江藤淳がフィールドとしていた『諸君！』（文藝春秋）も二〇〇九（平成二一）年に休刊しました。共産党との対決以外にないということが明らかになったのはいいのですが、ここ二〇年ほどの論壇は不毛であると私は思っています。かたや左翼の完全な教条主義者がおり、こちらはそれを批判するという、低レベルの対決だけをしています。

教科書問題も最初は明確に歴史の問題だったのですが、その内に教科書採用にまつわる技術論が問題になってきました。共産党員が教育委員会をはじめとする各地方の機関の役人となり実務レベルでの支配を進めている、といった話になっていくのです。また、当初、「つくる会」の歴史教科書は、共産党史観ではない歴史を作ろう、我々の歴史を作ろうという目的をもって完全に階級闘争史観を抜いたものでした。貧しい、あるいは富んだ階級と政権とが常に権力闘争をしているのが歴史というものであるという考え方を全部消しました。つまり、自信をもって我々の文化を語るということです。私自身も教科書の中で冒頭に一〇ページほどの美術史を載せ、日本はこれだけ文化が高いのだ、ということを書いていましたが、それが理解できない人も会の中にはいたのです。レベルが低いというのは、左右どちらにも言えることでした。フランクフルト学派の方法論に則って文化の闘いを挑んできた左翼が、文化のかなりの部分を破壊したために、保守の側も、どんな文化を、また文化のどこを傷つけられたのかさえ分からなくなってしまっているのが現在の状況だと言えるでしょう。

フランクフルト学派とは何か

フランクフルト学派の特徴はマルクス主義の主戦場を政治経済の場から文化へと変えた、というところにあります。社会学という学問があり、東大にも戦後すぐに社会学科ができましたが、法学部や経済学部に近い位置にありながら法学部や経済学部に行けなかった学生たちが入るというような、人気の学科になっていたようです。この社会学がマルクス主義に基づく学問であるということを認識している人はそれほど多くはないでしょう。

社会学は、一九二三年、マルクス主義の哲学者ルカーチ・ジェルジがドイツのフランクフルト大学に設立した「マルクス研究所」に端を発します。ドイツにおけるマルクス主義の牙城となるべく設立された研究所でしたが、その後にマルクスの名を隠し、「ドイツ社会学研究所」と改名されました。この研究所を中心に形成された学者グループ及びその後の追従者たちがフランクフルト学派です。一九三〇年頃には、マックス・ホルクハイマーがフランクフルト学派の中心人物となり、この時期に、後に「アウシュビッツのあとで詩を書くのは野蛮である」という言葉を残すことになる音楽批評家のテオドール・アドルノ、『愛するということ』などの著作で日本でも有名になった心理学者エーリヒ・フロム、フロイトの後継者を代表する精神分析医ヴィルヘルム・ライヒなどが学派に参画しました。

一九三三年、ヒトラーが首相に指名されてベルリンを掌握しました。フランクフルト学派の発端を作ったルカーチ・ジェルジもホルクハイマーもアドルノもフロムもライヒもユダヤ人です。彼らは皆アメリカに亡命し、コロンビア大学の援助の下、新フランクフルト学派を立ち上げました。ユダヤ人社会は戦後、アウシュビッツの強制収容所で六〇〇万人のユダヤ人が虐殺されたということを既成事実化しました。フランクフルト学派は、ヨーロッパによるユダヤ人虐殺を絶対に繰り返させないという意志を強固に持ち続ける原動力となっていきました。

フランクフルト学派は「批判理論」をもって理論武装します。すべてを否定し続けることが大前提です。既成の知識あるいは既成の文化を壊す理論を立てます。なぜなら、「現代の人間はすべて自然からも社会からも疎外されており、その疎外を取り除くためには社会を作り上げてきた伝統的な文化を否定し続けなければならない」からです。批判理論とともに、否定的弁証法という用語もよく使います。アウフヘーベン（aufheben）つまり弁証法というのは肯定と否定をすり合わせながら一つ上の次元の結論を導き出すといった方法ですが、フランクフルト学派は一方的に否定へと向かいます。泥沼状態に陥っていきますが、それを肯定するのです。批判すること自体が目的化されているからです。

そして彼らは必ずマイノリティを主役に立てます。ユダヤ人というマイノリティに対して行われたナチスのホロコーストはマイノリティに対して必ず繰り返される。したがってマイノリティに対する抑圧はすべて無条件に批判されなければならない、という宣伝が、ユダヤ資本に頼っている世界中の報道機関ないしマスコミによって流されました。情報を操作することによって自分たちへの批判を削いでいくという、連帯感のようなものがユダヤ社会にはあります。連帯しなければ負けてしまうという一種の被害妄想もまた、そこにはあります。

アドルノは一九五〇年に書いた『ミニマ・モラリア』というエッセイ集の中で、「アウシュビッツのあとで詩を書くのは野蛮である」という言葉とともに、「私はいつも見られている」ということを言っています。つまり、ユダヤ人はいつも見られている、ということです。常に神経をとがらせていないと捕まるぞ、逃げられないぞということなのですが、これは彼らユダヤ人の体験であり、過剰な自己意識です。そうした世界が普遍的にあるかのごとく言い、「今は監視社会だ」などと批判を加えてきたのもフランクフルト学派でした。

一九四八年に独立宣言を行ってイスラエルが建国されました。現在は、伝統に戻ろうという意識が強まり、左翼ユダヤ人ではなくシオニズムユダヤ人が勢力を大きくしつつあります。ディアスポラ、つまりユダヤ人は引っ張り出すぞ、といったことのない世界が、イスラエルにできており、であるならば、イスラエルというもはや普通の国に帰ることで、監視社会なるものを糾弾する必要はありません。ところが、アメリカのアンティファ（anti-fascist、ＡＮＴＩＦＡ）のような運動体は、未だに残るこうした被害者意識を利用して、さらに被害者を作り続けていく方法を採り、反権力反権威を掲げて白人社会ないしは世界を壊す犯罪的な運動へと繋げています。

フランクフルト学派の理論をはじめとするこうした「批判理論」を「批判」できるのは日本であるはずだ、と私は考えています。まず、日本人には、ユダヤ人を殺した経験も、ユダヤ人と対立した経験もありません。そして、今の日本は世界で最も秩序のある国だ、ということで世界中が日本を強く尊敬するようになったのは、実はユダヤの、繰り返し宣伝する力に負っているところが大きいのです。ユダヤ人は日本ブームを作った原動力にもなっています。今後、日本が果たすべき役割は大きいと言えるでしょう。

反権力と反権威の仕組み

権威主義的パーソナリティという、エーリッヒ・フロムが言い出してフランクフルト学派がまとめあげた心理学用語があります。反民主主義的イデオロギーを受容しやすい、因襲や権威への服従及び人間不信を特徴とする性格、とされているようです。しかしここでは、権威とは何か、という問題は明確にされていません。結局、ユダヤ人が被害者となるような社会における権力者が権威あるいは権威主義を作る、という話となっています。

つまり、キリスト教社会やイスラム教社会、あるいは国王という存在など、ユダヤ人以外の民族が作る権威あるいは権力がすべて批判の対象となります。フランクフルト学派の言う「権威」は、非常に恣意的です。

世界の出版状況を見てみると、確固とした世界観を持って世界を解釈する本を書く、いわゆる大知識人とされるような著者がユダヤ人以外にいなくなっているということに気が付きます。かつては、『西洋の没落』（Der Untergang des Abendlandes、一九一八〜一九二二年）で知られるドイツのオズヴァルト・シュペングラーや、『歴史の研究』（A Study of History、一九三四〜一九五四年）で知られるイギリスのアーノルド・トインビーなどが、世界全体を見て世界がどうなるかを語ろうとしました。しかし、フランクフルト学派に言わせれば、全体を見るなどはおこがましい、それこそがユダヤ人を排外するのだ、ということになる。とにかくユダヤ人を虐殺したナチスを批判することが最も重要で、ナチスが採ったファシズムつまり全体主義を絶対悪として言論の基本に置きます。

左翼的イデオロギーについて学校教育などで学べば、若い時代には、平等で貧富の差のない社会が実現するなどとして、一つの理想として共産主義あるいは社会主義の抽象的な理論を簡単に受け入れがちです。ところが、実際に世の中に出れば当然、そんな理論は成立しない、社会主義あるいは共産主義的な考え方を捨てるべき要素が社会には歴然とある、ということに気が付きます。その時点で、「それを捨てる人間はファシストだ」と批判を突きつけるのがフランクフルト学派です。捨てなければどうなるか。現実とは齟齬するものだという認識を持ちながら、常に共産主義あるいは社会主義を理想として持っているという状態になります。本来ならば全くおかしい、そうした状態を肯定するためにフランクフルト学派はファシストという言葉を使うのです。すべてが、そもそも彼らの神というものからしてそうですが、レトリックです。

ユダヤ人のこうした問題をはっきりと指摘できるのは日本人だけだと私は考えています。日本のキリスト教徒の数は未だに国内人口の一パーセントに過ぎないという事実は非常に大きく、これは、かつて日本に渡来したユダヤ系の秦氏が日本に加担してきた結果だと見ています。

秦氏は八幡神社及び稲荷神社など、また、京都広隆寺をはじめとして、たくさんの神社仏閣を創建しました。自らの宗教や伝統はさておき、日本というものを評価し、日本の宗教というものを守りました。それを知ると現代のユダヤ人は当然、驚きます。私の研究は、非常に現代的価値の高い部分を含むのです。

日本はキリスト教が入ってきてもキリスト教国とはなりません。同様に、マルクス主義が入ってきても、根っからのマルキストは生まれません。虚構を信じ込む日本人はいないのです。日本国内にそうした人がいるとすれば、誤解を恐れずに言えばそれは日本外の少数派の人たちです。例えば東大で左翼の代表となると姜尚中（カンサンジュン）をはじめ朝鮮人系の人物ということになり、そこに真理があるかのごとくもてはやされます。それは彼らがユダヤ人の状況に似ているからです。ユダヤ人にはイスラエルがあるのと同様、私は、そういう人たちにはどうぞお国にお帰りなさいと言った方がよいと考えます。

朝日新聞や岩波書店などの左翼の言論が子供っぽく、内容が深まらないのは言葉の問題ばかりで現実を二の次としているからです。現象の都合の良いところだけを取り上げ、本質的な、全体の問題へは行かない。そのために、変な穴が開いているのが戦後の言論空間の状況です。しかし、その穴は、私たちが意識を変えれば完全に埋まるものです。私は、研究を通じて反左翼を実感していくにつれ、自分を取り戻しているという感覚、自分の日本人性というもののがどんどん発現されてくる感覚を覚えています。

そして、私にそうした日本に対する満足する気持ちを与えているのも秦氏ではないかという気がしています。日本にはゲットーのようなものはない、だから、自らの神への信心のために戦う必要はない、という観点を秦氏は抱き、自然そのものが神なのだという本当にリラックスした感じを日本で覚えました。それを「良い」とする意識は、そうではないものを知っていなければ生まれないものです。

■フランクフルト学派と日本共産党

戦前の共産党の幹部だった福本和夫が日本で最初にフランクフルト学派の理論を勉強した人物と

いうことになるでしょう。一九二〇（大正九）年に東大法学部を卒業した福本は一九二二（大正一一）年に文部省の在外研究員として英独仏に留学し、ルカーチ・ジェルジが創設した社会学研究所でフランクフルト学派に触れ、二段階革命理論を覚えて帰国します。

福本は、フランクフルト学派を共産主義の単なる一派だと見ました。フロイトとの関係が理解できなかったのです。マルクス主義の経済理論や革命理論は分かっても、フランクフルト学派の理論に組み込まれたフロイトの精神分析理論は分かりませんでした。フランクフルト学派は革命の動機となる、人間は常に不幸である、ということの根拠としてフロイトの精神分析理論を導入していました。父親と母親との間には強い要求交換の関係があって父親の母親への欲求が強く、子供は常に母親から疎外されてしまうという心理学です。

ここは西欧と日本とで大きく異なる点であり、日本が子供に対して両親が対等な関係でいるのに対し、西欧は、子供は自立して離れていくものであって夫婦の関係が一番大事であると考えます。日本では、子供は夫婦の絆です。子供を媒介にして夫婦の愛も成り立つと考えます。日本では、紹介で出会って子供ができてはじめて夫婦になるという場合も多いのですが、ここには大事な点があり、子供を媒介にして夫婦が成り立つということの方が、男と女がまず恋愛をして夫婦となり子供を産むという関係よりも、家族として長続きするものなのです。

■ユダヤ人と大東亜戦争

アメリカ及びヨーロッパの大衆のほとんどは戦争責任は天皇にあるという考え方が根強いのです。つまり、いわゆる東京裁判に天皇を出さないようにしたのはアメリカと言われていますが、それは疑問がもたれています。しかしその中身を見れば、ほとんどはユダヤ人が動いたものである、ということが分かります。つまり彼らはアメリカや連合国の人々の考え方を必ずしも持たないのです。日本を占領したＧＨＱの内部組織だった民政局の人員のほとんどがユダヤ人だった。彼らは日本に対して、対戦した敵国という意識をあまり持っていなかったのです。

ＧＨＱの大半がユダヤ人でした。そこには二つの日本観が錯綜していました。一つは日本をこのまま守ろうとする勢力、もう一つは日本を社会主義化しようとする勢力です。

今で言えば、ナショナリズムとグローバリズムの錯綜ということになるでしょう。例えば、海外から見れば軍国主義の根源のような靖国神社は破壊されませんでした。伊勢神宮も失われませんでした。一方で一九四五年（昭和二〇年）一二月一五日、終戦した年の内に、国家が神社を管理することを禁じる神道指令がＧＨＱから出されています。神道指令を出すような社会主義的な流派がいる一方で、日本というものを守る気のある保守的な流派もいたということは認識すべきです。

こうしたことは、日本に相対した時のユダヤ人の性格です。私は、『発見！ユダヤ人埴輪の謎を

●靖国神社
東京都千代田区にある神社で、明治天皇によって建てられた招魂社が起源。明治時代以降の日本の戦争・内戦で政府・朝廷側で戦歿した軍人らを祀る神社として広く知られている。

解く』（勉誠出版、二〇一九年）、『京都はユダヤ人秦氏がつくった』（育鵬社、二〇二一年）などの本を書き、秦氏の研究を進める内に少しずつそういうことが分かってきました。日本を変えようとする流れと日本を守ろうとする流れが錯綜するのは秦氏の活動の中に見られる伝統です。

　第二次世界大戦で敗戦した国々を見てみると、例えばドイツは四つに分割され、ソ連の占領したドレスデンは完全に破壊されましたでした。ベルリンという都市も解体が進み、半年ほど居住した経験から言えば、文化の香りが全くしませんでした。ドイツは本当にやられてしまったな、と思いました。ユダヤの恨みというものの一切がそこに出ている気がします。これは世界的傾向とも言えるのですが、ドイツにおいては、一九七六年に他界したハイデガー以降、彼に並び得るクラスの哲学者はユダヤ人以外に出てこなくなっています。

　日本において、「日本」は残されました。しかし、日

●伊勢神宮
伊勢神宮は三重県伊勢市にある神社。正式名称は伊勢がつかない「神宮」で、2000年以上の長きにわたる歴史があり、現在も全国各地から多くの参拝者が訪れる。

本人はそれに気づかずにきました。天皇も皇居も、伊勢神宮も京都も奈良も残りましたが、それを無視する教育が行われました。物を残せば現実は続きます。祭りも行われ、神社を囲んで暮らす人たちが大勢おり、伝統は残りました。ところがアカデミズムを左翼に押さえられ、インテリ層の人間たちが洗脳されて勘違いをしているのです。

日本は生活者の国です。東京裁判で「日本は南京大虐殺をやった。三〇万人も殺した」という罪状を懸命になって作ろうとし、中国は関連の博物館まで作ったわけですが、日本人はほとんど動揺していません。そんな覚えはない、と言い放ちます。そんな話をする父あるいは祖父、親類縁者に会ったことがない、ということです。自然というものがあり、その中で生きている人間というものへの信頼度が非常に高いのが日本人です。

平気で虚構を事件として作り上げてしまうという点で

は、中国人はユダヤ人に似ています。慰安婦の問題を見れば、韓国人も同じ類です。いわゆるでっちあげで、ドイツにしたように日本を完全に荒廃させてしまおうと試みたわけですが、日本人は生活者として、「そんなことはない」とはっきり言うわけです。

連合国側の日本への対応は、ドイツとは全く違っていました。日本人が気づきさえすれば、戦争には負けていないということが認識できるはずです。勝ってはいないけれども、負けてもいません。日米はウィン・ウィンの関係にあったということです。戦後早くの段階で、日米の相当の上層の人たちが密約して日本の伝統と文化を守ったということに気が付くべきでした。しかし、ある意味で矛盾するアメリカの占領政策の内、日本を守るという方向が隠され、大きな力にはなりませんでした。戦後という時代は、破壊の方向へと向かったのです。

イタリアは今、文化再生を熱心に行っています。歴史的建造物の修復を盛んに行い、システィーナ礼拝堂まですべて綺麗にしました。新しいものを創ることが文化ではありません。洗浄して元に戻す。原形を再認識し、新たに研究し、解釈を新たにするという形の回復をイタリアは行っています。観光客も自ずと増加しているようです。

日本も早くの内にイタリアのような取り組みができたはずでした。しかし、いわゆる世界文化遺産の登録は先進国の中で日本が一番遅かったのです。一九七〇年頃に国連のユネスコが文化遺産政策を採ろうとした時、日本は参加しませんでした。二〇年後、一九九二年に初めて参加しています。

なぜかと言えば、日本には文化が残ってない、建造物も木製であって欧米の基準では評価されないだろう、などといった自らの文化に対する自虐意識があったからです。これは、アメリカの占領政策から生まれた意識であるとともに、占領政策に対するある種の誤解です。なぜ天皇が残り伊勢神宮が残ったのかを考えること、そして、これもまたアメリカの一つの占領政策だったと認識する力の不足です。一貫した文化が日本にこれだけ残り、傑作がこれだけ残っていることの背景には、かつて秦氏がそうであったように、隠れたユダヤ人が日本というものを認識あるいは評価して守ってくれたという側面があるのです。

戦後における「科学」の問題

戦後は、「科学」という言葉が大きくのしかかってくるようになってきた時代です。つまり、科学的であれば何でも正しいという風潮です。科学は何かというと、数字であり、数字によって理解し、実験を繰り返してさらに数字を作っていく、ということです。そこに精神という要素はありません。

当初、精神は、唯物論に対する観念論だということで批判されるのみでした。批判が続く内に、精神を扱うなどは馬鹿らしいことだとされ、一九八〇年頃からは明確に、精神というもの自体がないかのごとく扱われ始めました。それがカルチュラル・スタディーズという方法論です。カルチャーつまり文化の精神的な部分は全く問題にせず、階級的にどのように見られたか、物質的にどのように影響したか、他にどういう結果をもたらしたか、いくらで買われたか、どういうふうに宣伝されたかなどを調査することを研究と称します。カルチュラル・スタディーズにおいては、例えば芸術作品の精神つまり意味はなくなります。作品自身のことは問われなくなり、その言説だけが問題となります。

カルチュラル・スタディーズの影響で、今の若い層は、もともと精神活動などというものはないというところから始めます。そうして、日本でいえば神社、欧米でいえば教会の前で立ち止まらない、それがないかのごとく通り過ぎる、という文化が出てきているわけです。通り過ぎるのなら、確かにないかのように見えます。ところが、それらは歴然として存在し、そこに入ると全く違うことが分かります。私は今、「宗教空間」が存在するということを言っています。そこに入れば、今はそれを語る言葉がなくても、自ずと言葉が自分の中から生まれてくる、ということです。言葉は二次的なものであって、物を見る、物を発見することによって生まれてくるものです。

日本人はそういうことを知っているからこそ、日本では「言葉」です。「こと」が最初にある、散ってしまってもどうということのないものです。ですから、日本は言葉をあまり気にしません。ところが戦後、一九八〇年頃からは、それが逆になってきました。言葉が一番大事、葉っぱが一番大事だということになって、「こと」は消えてしまっても良いことになりました。カルチュラル・スタディーズという学問は単なる報告書です。階級社会の存在だけを考え、作品と自分とのいわゆる精神的な関係は語られません。それがなければ作品に新しい光を与えるわけです。また、これは私の実体験から言えることですが、そうした研究発表は学会から疎外されるようになりました。

精神の言葉を肯定しなくてはいけません。それが実態というものです。人間は心を持っており、感情を持っています。

■日本国憲法の「自由」

一九四六（昭和二一）年に公布された現行の日本国憲法には、第一二条に「この憲法が国民に保障する自由」という文言（もんごん）があり、第一九条で思想・良心の自由、第二〇条で信教の自由、第二一条で表現の自由、第二三条で学問の自由が規定されています。辞書的な意味での近代憲法としての要素が並び、これがいわゆる近代だと謳われているわけですが、ここに出てくる自由とはすべて「何々からの自由」であるということを多くの人は理解していません。

「何々からの自由」とは、西欧が言うところの、キリスト教からの自由、階級社会からの自由、といった自由です。しかし日本国憲法には、「何々からの」という部分が出ていません。出ているのであれば、「何々からの」の何々にあたる社会や精神状態が本当に、そこから離れるべき本質を持っているのかどうかという疑問を持つことができます。そこに主観性が出てくるのですが、それがないために皆が日本国憲法を肯定し、賛成します。

日本国憲法に登場する自由は成り立ちません。「何々からの」がなく、自由となる以前の状態が何も説明されていないからです。そして、近代が成立させたとする市民社会以前の状態の方がはるかに自由なものがあるということを日本国憲法は忘れています。

私が研究を続けている秦氏は、「何々からの自由」で日本にやって来たユダヤ系の人々でした。彼らは逃げてきたのです。アッシリアやバビロニアあるいは古代ローマといった大国からの自由というものがありました。このように西欧の自由は時代によって都度の事情で説明されますが、本質的な定義はできません。

美術史を研究していて分かるのは、ルネサンス時代は全く自由であるということです。同性愛についてもすべて肯定され、すべて表現されています。ボッティチェッリ、レオナルド、ミケランジェロはキリスト教から自由で、すべて自分で考え、いわゆる近代よりもはるかに自由な表現をしています。ギリシャという時代もそうでした。つまり、近代において人は自由になったというような歴史的な問題ではなく、状況そのものが自由であることはいつの時代でもあり得ます。言い換えれば、自由なるものが近代のある種の定義になること自体がおかしいのです。いつの時代にも近代があると言うことができます。日本においても同じです。マルクス主義は、例えば奈良時代の人々は天皇のある種の支配下にあって苦しんでいたなどと言いますが、そんなことはありません。

マルクス主義は資本主義からの自由、封建主義からの自由、要するに「束縛からの自由」を言います。しかしそこには、「では秩序がなくなっていいのか」という問題が必ず出てきます。自由だけがそこにあって常に肯定されるなどということはあり得ません。

この世に生まれた人間はまず母親父親から守られなければ生きていけません。最初から自由はないのです。死ぬ時も、病院あるいは自宅で看護の人がいなければ死ねません。

母親父親から育てられるということを束縛ととるか、自由を育てるものととるか、という問題です。マルクス主義は束縛ととり、父親が家父長制の下で子供を弾圧する、としましたが、これは間違っています。西欧のこうした解釈の誤謬（ごびゅう）を明確にして、日本人は今まで通りでいいのだということ、自由などという言葉を使う必要のない日本人の生き方というものをより肯定するということが必要でしょう。

リベラルという呼称

以前からリベラル、リベラリズムという言葉はありましたが、一九九〇年頃から特に、左翼に替わってリベラルという呼称が使われるようになりました。ソ連の崩壊時期であり、今更に共産主義者、社会主義者と呼ばれても困る、ということです。西欧コンプレックスもそこにはあり、西欧思想の流れを汲むといったスマートな感じ、そういう呼称であれば批判のしようもないだろうという欲目があることは確かでしょう。

リベラリズムは自由を旨とするという意味があり、マルクス主義には決して囚われていないような顔をするわけですが、言い方を変えれば自由の下にマルクス主義を選んだという意味であり、結局はマルクス主義である、ということになります。丸山眞男がその典型でしょう。丸山は著作の中で、常にマルクスに脱帽しています。戦後の時代は、マルクス主義がグランド・セオリー（grand theory、大理論）として世界中を覆いました。

世界が唯物論的立場からのみ見られるようになった、ということです。お金の社会であり、物の社会であり、資本主義は常にお金の問題、金融の問題として分析され、精神性は全くなくなりました。しかし、資本主義は、物質的な欲望で動くにせよ、そこにはやはり文化の問題があります。物質的な価値には文化が背景としてあり、だからこそ交換が生まれます。そこを忘れて、常に物質だけを考えるような見方、いわゆる唯物論が流布してしまうと、金だけ儲ければよいということに還元されていかざるを得ません。

物を作る喜び、作った物を喜んでもらう気持ち、そういったことがまずは商品の動機なのだということが前に出れば、精神性の問題がさらに閑却されます。習慣の問題、伝統の問題も入ってきます。そしてまた、そういう問題は必ず文化的視点が入らざるを得ないのであって、したがって私は、実は文化が資本主義を主導していると見ています。

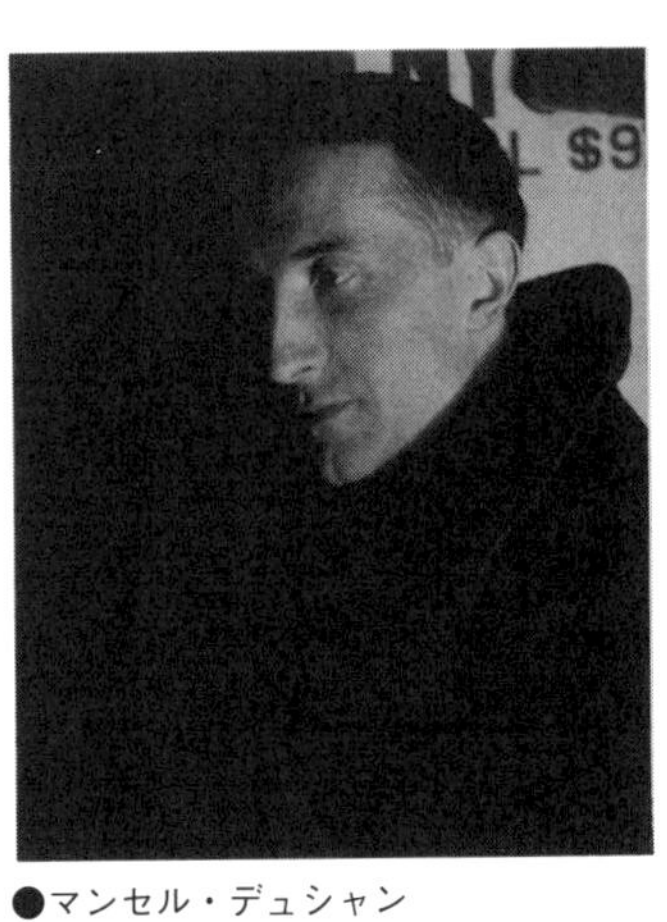

●マンセル・デュシャン（1887－1968）前衛芸術家。フランスに生まれ、アメリカに移住した。

フランクフルト学派の一番の犠牲となったのは文化です。私は文化を扱っている者であるからこそ物申さざるを得ず、文化というものを知っているからこそ物申すことができます。保守を自認する言論人は多いのですが、文化というものを知らない人が意外に多いのです。

リベラルなどという言葉につられて簡単に社会主義に転向する、あるいは左翼化するということをしてはいけません。私たちは必ず伝統と文化の中で生きているからです。フランクフルト学派は、それに気づいて、逆にそれはファシストである、と糾弾するわけですが、伝統と文化が大事であることを認識したのであれば、左翼的理論はためらいなく否定すべきです。

西欧も同様の状況であり、イタリアもフランスも左翼が多いけれども基本的には保守的な意識が根底に常にあり、だからこそ、伝統と文化が残っていくのです。戦後、国連という組織に世界遺産の思想が導入されて各国が盛んに競争しています。一方では、マルセル・デュシャンのような、新しい、現代美術と称するものが伝統的社会ないしは文化を、否定する方向を模索しています。

私は、常に二つの流れがあるのだ、と考えています。一方の言論のみがメディアを占領しているというところに問題があるだけです。保守とは決して勢力の問題ではありません。現実問題として、人間が生きている限りは保守的にならざるを得ないのであって、保守は特殊な用語ではありません。戦後は、フランクフルト学派の、「批判すること自体がすべてである」という主張に翻弄され、実態というものが忘れられてきました。しかしもはやフランクフルト学派は失敗した学派であると私は考えています。

イタリアのグラムシの問題

フランクフルト学派とほぼ同時期に活動し、直接の交流はなかったものの、学派とほぼ同じ思想と戦略を持っていた人物に、アントニオ・グラムシという人物がいます。第二次世界大戦前夜にイタリア共産党の書記長を努めていました。グラムシは、「道徳、価値観、真実、規範、人間の在り方は、みな歴史的に異なる時代の産物である。歴史を飛び越え、人類普遍の真実とされるような絶対的規範は存在しない」としました。ヨーロッパにおいてイタリアは、特に視覚美術において最高の国です。まず、そうした伝統と文化の糧の中に生きている一知識人がこんなことを言ってはいけないでしょう。グラムシは、見ないことにしただけです。見ないことによって否定したと思い込んでいる。これは欺瞞であり偽善です。しかしグラムシは、一九九〇年頃までは優れた知識人としてもてはやされていました。イタリアにはグラムシの名の付いた通りがたくさんあります。

グラムシは、労働者が革命を起こす時代ではないとし、誰が革命の主体となるのかを追求した人でもあります。グラムシは「歴史的に反主流とされる層、経済的に虐げられた人々だけでなく、男性に対する女性、多数民族に対する少数民族、犯罪者まですべてが含まれる」としました。そして、すべての人を知識人と呼び、「知識人を知識人たらしめれば社会主義にいく」としました。「市民社会の文化を下から変えていけば、熟した果実のごとく権力は自然と手中に落ちてくる。芸術、映画、演劇、教育、新聞、雑誌、放送などを一つひとつ丁寧に攻め落として革命に組み込んでいく」としています。

これはおかしなことです。知識人とは一部のマルクス主義が分かる人たちのことであり、一般の人たちはそういう意味での知識人ではなく、生活者であるだけです。生活の中で考えるしかなく、「あなたたちの状況は階級闘争社会であり、今の状態にとどまるか、悪くなるかしかない」というマルクス主義理論上の労働者の規定をいくら言われたところで、生活者は結局、常に自分本位で考えます。今は農業をやっているけれども農業ができなくなれば街の労働者になるだろう、勉強して教師にもなるだろう、といったフレキシビリティを持っているわけです。

マルクス主義の理論としての欠点は、この、関係と絶対化することにあります。このように断言する人たちがいるからこそ革命が起こる、とします。しかし現実は常にフレキシブルであり、マルクス主義はそうした生活実感からあまりにも遠く、断言したところでマルクス主義が一度も成功したことがない理由があります。グラムシという人が出ても、イタリアはミケランジェロの石像の一つも壊すことができませんでした。

フランクフルト学派が盛んに動き始めるのは、一九三三年のナチス政権成立を機に、学派のメンバーがドイツからアメリカに亡命して以降です。幻想を描きやすい国、伝統のない国においてフランクフルト学派は最もはびこりました。一九七〇年代からはマーティン・ジェイという人物がフランクフルト学派のいわゆるトップとして君臨し、ジャーナリズムをはじめハリウッドにいたるまで、ジェイの思想を流布させようとしました。

フランクフルト学派の理論は複雑です。例えば、戦前に『複製技術時代の芸術』という著作を書いたヴァルター・ベンヤミンは、複製の可能性を語りますが、一見建設的に見えて、これは破壊です。複製にはオリジナルな作品の、一回性及び一人の芸術家の心を込めたオーラ、つまり精神性がありません。そこを否定し、複製美術で良いのだと平気で言うわけです。実はこの考え方は、フランクフルト学派とは遠いところにいた、仏ド・ゴール政権で文化相を長く努めたことで知られるアンドレ・マルローにも少なからず共通しているところがあります。マルローは一九五七年の著作『空想の美術館』（musée imaginaire、ミュゼ・イマジネール）で、芸術作品は写真でいい、写真で見ればあらゆるものを比較できる、としました。図像的には同じかもしれませんが、作品と写真とでは精神位相が違うのです。マルローには共産主義に同調していた時代もありましたから、おそらく、そういう部分から出ている考え方なのでしょう。いずれにせよフランクフルト学派は、芸術の一回性あるいは人間性をできる限り捨象してしまえ、破壊へ向かえ、と言うのです。

ただし、この芸術の破壊などは大したことではありません。まだ本当の破壊には至っていません。作品自定は否定していないからです。デュシャンのように作品に便器を持ってくれば破壊したことになります。グラムシあるいはベンヤミンがいくらそうしたことを主張したところで、作品は厳然と残っています。デュシャンは作品自体を破壊したのです。しかしこれらは、芸術の問題であるに過ぎません。

これが社会の破壊となるとそうはいきません。本当の破壊は、マルクス主義、特にレーニン主義にある暴力革命です。レーニン主義は、まず国家間の対立を刺激して戦争を起こさせ、後に内乱を生じさせて革命を成就させる、という考え方に立ちます。日本に対しても、太平洋戦争と称する戦争を起こさせて、最後は天皇制から何からすべてを変えてしまおうという秘かな方針でありました。しかし日本は伝統と文化の力が全く違い、そのような暴力志向の変革ではどうにもならなかったのです。

伝統と文化には、それを守る力が必要です。そのためには伝統と文化の価値がどれほどのものであるかという認識が必要です。それをマルクス主義は軽く見て、文化という言葉を簡単に使い、文化破壊が可能だと誤解したのです。こうしたことこそフランクフルト学派の批判理論が誤りであることを明確に示しているのです。

今、日本人に必要なのは、祖先たちが示す「縄文精神」あるいは「やまとごころ」が、山や水つまり自然を大事にすること、それによって人間も自然の一部だと実感し、人間を回復し精神を回復することです。

フランクフルト学派的な観念に染まっている人々は、そこに国を持たないユダヤ人の発想に基づく破壊思想であることに気づかねばなりません。そのような思想はユダヤ人特有の考え方にすぎません。つまりフランクフルト学派の理論は嘘なのです。

第二章

日本の特別性

存在しない二項対立

日本は性善説の国であるとよく言われます。対して欧米は性悪説を採るとされます。しかし、この性善説・性悪説の分離さえないのが日本です。絶対的な善悪の区別というものが日本にはありません。善悪の判断などというものは常に相対的だということが分かっているからです。いわゆる二項対立は日本にはありません。したがって弁証法という方法論もありません。

日本にどうして和歌が発達して好まれ続けたかと言えば、論理というものが必要とされないからです。論理は議論のためにあります。善と悪、正と誤といった対立を前提に、自分の善、正の判断から議論は始まると考えます。しかし人間は、やはりそういう善悪、正誤の明確さがないことに気づきます。前近代においても、現代においてもそれは同じです。

人間の社会は明らかに、そこにいるお互い同士の信頼というものがなければ、あらゆることが持続できず最終的には破綻します。お互い同士の信頼とは何かということは、子供の時代に、家族について思い、家族を大事にすることによって分かってくるものです。私が縄文の竪穴住居に注目し続けているのはそのためです。竪穴住居一戸には一家族あるいはせいぜい二家族までしか入れません。一九九二年に本格的な発掘調査が開始された青森県の三内丸山(さんないまるやま)遺跡では六〇〇に及ぶ竪穴住居跡が発掘されました。六〇〇の家族がおり、一家族の数の平均を五人とすれば、三〇〇〇人の人口

●三内丸山遺跡
青森県にある遺跡で、縄文時代前期〜中期（紀元前約3900〜2200年）の土器などが発掘されている。2021年には三内丸山遺跡を含む「北海道・北東北の縄文遺跡群」が世界文化遺産に登録された。

三内丸山遺跡にはたくさんの竪穴建物跡があり、最大のもので長さが約32m、幅が約10メートルのものが見つかっている。このように大型のものは集落の中央付近に多い。

をこの地域の共同体が擁していたということになります。ところが、公的なアナウンスにおいては、六〇〇〇戸という数から最低六〇〇〇人がここに暮らしていた、というようなことになります。家族の概念が無視されているのです。

三内丸山遺跡は野球場の建設ということから広範囲に発掘調査したために発見されました。日本の特に列島東部から北部の各地の遺跡は、部分的に発掘したものに過ぎませんから、巨大な集落跡が他にも数多くあるに違いありません。三内丸山は最小単位だろうと私は考えています。

日本人は縄文の時代からそうした規模の単位の共同体で生きてきました。そういう事実を踏まえて考えることが、最小限、人間を理解するためには必要なことだと思います。日本語に二元性というものがないのも、こうした日本人のプロフィールによるものです。仏語や英語、独語が二者択一で論理を進めるのに適する構造になっているのに対して、日本語は対立ということをしないで済むような柔軟な構造になっています。ノーという言葉に合致する言葉がないことでもそれは分かります。私たち日本人には、対立するのは無意味だ、という思いがあるのです。私が、どれだけ西洋のことを研究してもやはり日本に帰らざるを得なかった理由の一つはここにあります。

聖徳太子の「和を以て貴しとなす」が言語にまで及んでいます。アウフヘーベン、つまり対立から答えを引き出すという弁証法的な意識はなく、融合して残るものだけを残していくということが常に繰り返されています。異質のものをどんどん入れてしまい、時代を経ることで、余計なものが去っていき、取れていく。つまり、自然というものだけが残っていくのです。それが日本です。人間も自然であるというのと同じことで、結局、人間は変わらないということと重なっています。

言葉とは「こと＝言＝事」の「葉っぱ」です。日本人にとって言葉自体は軽いものですが、「こと」を大事として、「こと」として記憶していきます。他人に何かを話す時、日本人は、喋っている内容と、自分が記憶し、あるいは感じている「こと」とはどこか齟齬していると思いながら語っています。したがって言葉には限界があります。「山」と言っても一人ひとりのいろいろな「山」があります。言葉というのは常に曖昧だということを日本人は常に考えているのです。

言葉には、指示表出と感情表出という二つの種類の機能があります。「これ」や「あれ」が指示表出で、「これ」と言えば確かに「これ」を指します。けれども、やはり同時に感情表出もなされていて、そこのところは外から見たら曖昧です。しかし、少なくとも喋っている当人たちは、どこか実態に触れている。それを承知の上で語る柔軟性が日本語にはあるのです。

神話と歴史の連続性

ギリシャには神話がありました。しかし、今住んでいる人たちはトルコ系の人たちです。純粋なトルコ人とまでは言わなくても混血であり、ギリシャ時代のギリシャ人が住んでいるわけではありません。いろいろな形で祖先とは違う人たちがいます。

どこの国も、だいたいそれと似たようなものがあります。フランスは九世紀頃にできましたが、それ以前のシャルルマーニュ王国などでは民族大移動の名残があってまだまだゲルマン人が各地を移動していました。さらにそれ以前のものとしてローマ遺跡があるわけですが、ローマ遺跡は古代ローマ人の遺跡としてすでに壊されてしまっています。その間、様々な混血が生まれてくるわけです。したがって西洋の神話は断絶せざるを得ません。継承とは言いますが、彼らの世界は移動する世界です。遊牧民族は特にそうです。そこにあった神話というものを知らない人々がどんどんやって来ます。日本人は同じところにしっかりといる。同じ神話をしっかりと受け継いでいるということは世界的に全く稀なことです。

一七～一八世紀江戸時代中期の学者である新井白石は、日本の神話は神が人である、と言いました。私はその考えに同意しています。アマテラスでさえ、実際に「いた」のです。その「人」の家系を同じ名前で呼んだのが、日本の神々の名前です。『古事記』にも『日本書紀』にも最初の神々として登場する「造化三神(ぞうかさんしん)」の中にタカミムスビノカミという神がいますが、タカミムスビノカミは事あるごとに、時間の経過などには関係なく重要な存在として顔を出します。そこには同姓同名の同家系の子孫の繋がりが予想できます。

天地の混沌、それこそまずは自然があって、三人の神が現れてくる。それはつまり移民が来たということです。ここを俺たちの土地にするということがあり、天であり太陽であるアメノミナカヌシノカミが世界を作り、タカミムスビノカミが統治にあたります。

日本の神々のあり方について私は、『高天原(たかまがはら)は関東にあった―日本神話と考古学を再考する』(勉誠出版、二〇一七年)、『日本の起源は日高見国にあった―縄文・弥生時代の歴史的復元』(勉誠出版、二〇一八年)、『天孫降臨とは何であったのか』(勉誠出版、二〇一八年)、『「国譲り神話」の真実―神話は歴史を記憶する』(勉誠出版、二〇二〇年)などの著作を通して、『日本書紀』や『常陸風土記』に登場する「日高見国(ひたかみのくに)」を掲げて考察してきました。一般的な縄文のイメージは、縄文人が各地様々な場所に家を作って集まって暮らしている、というものでしょうけれども、実は、家族共同体を統一するある種の長者の家がありました。その中でも際立って長い家系がタカミムスビノカミと呼ばれてきたのです。

一つの過程として、いろいろな人たちと関係を結んで子孫を残していくというのが縄文人の生活の基本だったと考えられます。関東と東北に圧倒的に人口が多いのが縄文という時代です。青森県に遺跡として残る三内丸山の大集落などは五五〇〇年から四〇〇〇年前ほどの間に栄えていたものです。そこに日高見国という存在があった。関東と東北に縄文文化があり、それこそが神話の高天原の時代なのです。あの六本の柱の塔は、日が高く上るのを拝する神殿だったと考えられます。

高天原の時代というのは、どう見ても、神々が家を作り、労働をしています。労働する神々など、

「神業」を働いたりシンボルとして登場することはあっても、他の神話には出てきません。日本の神話で神々は一生懸命に働きます。高天原のそうした営みは、スサノオがやってきて後に「天津罪(あまつつみ)」と呼ばれることになる狼藉を働いたためにアマテラスが天岩戸(あまのいわと)に隠れて世が闇となって一時的に混乱することはありますが、縄文時代からの人々の営みを象徴して、天孫降臨まで続きます。

天孫降臨は、そろそろ大陸からいろいろな人々が来始めた頃の話です。九州及び西日本、特に出雲のあたりにたくさん来始めているわけですが、日高見国つまり高天原は一応征伐を試みます。その大きなものがニニギノミコトの天孫降臨でした。最終的には、後に神武天皇と呼ばれることになるカムヤマトイワレビコノミコトが九州を発って東征し、近畿のヤマトを取ります。

ここで興味深いのは、ヤマトを攻める時、カムヤマトイワレビコノミコトとその軍勢は常に東を背にしている、ということです。これは、東の力を借りないと、新しく来た勢力をやっつけることができないという認識からきています。『古事記』や『日本書紀』の神話には、東が西を占領して支配していき、正式に国としていく過程が書かれているのです。

神は人であるということは、『新撰姓氏録』という八一五(弘仁六)年に出た平安京の時代の書物を見ると分かります。平安京及びその周辺にいる人たちには三種類あるとしています。まず「神別」、次に天皇家の家系である「皇別」、そして帰化人である「諸蕃(しょばん)」が、だいたい同じ数ずついます。神別というのは天津神と国津神の子孫であり、例えば藤原氏や物部(もののべ)氏は神別です。藤原氏はもともとと中臣氏であり、そもそもは鹿島神宮の近くに中臣氏がおり、香取神宮の近くに物部氏がいました。高天原は関東にあった、つまり神々は東にいたことを示す決定的な証拠です。

神話は自然の中に生きる私たちの生活から生み出され、歴史というものを語ります。人々が移動する西洋では、それが断絶します。人間が違い、思考方法が違うから断絶するわけではありません。ケルト人、あるいはゲルマンの古い人たちなどは日本人と同じで、土地を愛し、古くからの神様を愛します。本来なら日本のようなあり方を世界中がしたはずですが、特に西洋は遊牧民族の世界であると同時に戦争がありました。土地に優劣があり、奪い合いがあり、地続きの大陸であるという環境を背景に、移動の必然性というものが出てくるのです。

西洋が理解できない部分

一六世紀以降、「西洋中心主義」というものができ始めました。西洋は、西洋が世界を制覇し、西洋が世界に文化を与え、そして世界は、近代を迎えて今に続くと言いたいわけです。世界全体の歴史ということについては、例えば二〇世紀末にアメリカの生物学者ジャレド・ダイアモンドが書いた『銃・病原菌・鉄』（倉骨彰・訳、草思社、二〇〇〇年）という本が話題になりました。副題として、一万三〇〇〇年にわたる人類史の謎、と書かれています。近頃では、イスラエルの歴史学者ユヴァル・ノア・ハラリが書いた『サピエンス全史』（柴田裕之・訳、河出書房新社、二〇一六年）が本屋を賑わせました。こちらは文明の構造と人類の幸福、という副題が付いています。

美術史においても同様なのですが、およそ歴史と名の付く海外の書籍に、日本が登場することはほとんどありません。右にあげた書籍も同様です。例えば『銃・病原菌・鉄』は、ただ、彼らが植民地としたアジアの国の人々の話をしているだけです。銃は強い、銃を持っている西洋人には敵わない、などということを言わせています。そうした植民地時代、大航海時代に、日本は銃の先進国でした。織田信長の軍隊及び銃戦術については、当時の駐日宣教師たちが西洋に伝えています。その意味と重要性を西洋の知識人が、著者のダイアモンドひとりをとっても知らないはずはありません。

つまり、理解できない、ということなのです。キリスト教圏外にある人たちが厳然といて、侵略されずにいる。鎖国政策を採って国を閉めたにしろ、実はそれはいつでも簡単に開けられるということです。こうした日本という存在は、西洋にとっては目の上の瘤（たんこぶ）であり、沈黙する以外にありませんでした。侵略できずにいるというコンプレックスがあったはずです。日本という文化は存在しないことにしてしまうというのは、西洋の一つの戦略でした。そうしないと、お前たちなどたいしたことはない、と言われてしまう。自分たちこそが相対化されてしまうのです。

私は実のところ、レオナルド・ダ・ヴィンチに関する重要な発見をいくつか行いました。すべてイタリア語の論文で発表していますが、彼らはそれらを語らないようにしています。日本あるいはアジアの研究者がルネッサンスを、とりわけレオナルドやミケランジェロを語ることなどとんでもない、認めない、という風潮があります。こうしたことも結局、日本人というものが西洋の理解の外にあるからです。「西洋において歴史は日本を圏外に置いて語られる」ということは重要です。

私は『誰も語らなかった　フェルメールと日本』（勉誠出版、二〇一九年）で、多くの美術史家が持っている、フェルメールと日本に関係などあるはずがないという思考停止に否を唱えました。貿易という経済的背景にせよ、日常生活を描いた浮世絵というものにせよ、フェルメールの作品中に登場する陶磁器の模様の様子にせよ、その美しさのすべては日本から来ているということを彼らは分かっていません。

フェルメールには『地理学者』や『天文学者』という有名な作品がありますが、地理学者も天文学者も日本の「着物」を着ています。地理学者と天文学者のモデルは、フェルメールと交流があり、同時に思想的な影響を与えたオランダの哲学者スピノザと考えられます。スピノザはレンズの研磨技師として生計を立てていましたから、フェルメールが作画に活用していた光学装置カメラ・オブスクラにも関係していたのです。

スピノザは日本のことを知っていました。一六七〇年に出版した『神学・政治論』を読むと、スピノザが、キリスト教がなくても幸福に生きていける国としての日本を認め、自らの理論の前提として考えていたことが分かります。フェルメールは、着物や陶磁器といったものと同時に、スピノザを通して日本の凄さを知っていた人でした。

大航海時代以降、植民地を拡大していく時代の西洋はほぼ常勝軍です。ところが、日本には勝てませんでした。国力が衰えつつあった頃に日本にやって来たという事情もありますが、フィリピンを占領したスペインでも日本を落とすことはできませんでした。物質的な取引については西洋と関係を持ちたいと考えていた日本は最終的にオランダを唯一の貿易対象国として選択します。これは、日本が、世界を見る優れた目を持っていたということでもあります。

私は、支倉常長の研究も行っています（『支倉常長―武士、ローマを行進す』ミネルヴァ書房、二〇〇七年）。海を渡って、一六一五年にスペインの国王フェリペ三世、続いてイタリアへ移動してローマ教皇パウルス五世に謁見（えっけん）した人物です。一般的に伊達藩の田舎侍のように言われる人ですが、支倉常長の使節団は伊達と徳川が組んで組織した隠れた一種のスパイ軍団でした。表面上はキリスト教の使節団だったのでバチカンからローマ市中心部まで、着物を着て堂々と行進しました。ローマはヨーロッパ各地から人の集まる地です。司祭などキリスト教関係者が集まり、商人が集まり、各国のスパイたちが集まっていました。日本人が行進を行い、沿道の人々が歓声を上げたことは広く知られたはずでしたが、パリやベルギーなどの一部を除いて当時の情報網はこの使節団を大々的には報道しませんでした。意図的に情報を抑えたと考えられます。キリスト教徒の集団とは受け入れられなかったからです。

西洋には、日本に対する目があり、畏怖というものがありました。当時の時間軸で言えば、一三世紀の元寇において、モンゴルでも攻めきれなかった日本という意識がありました。マルコ・ポーロの『東方見聞録』は、モンゴルを追い返したことは伝えないものの、黄金の国たる日本を伝え、それ以後、世界の伝説となったのです。こういったことを日本人こそが知らず、また知らされずにいて、第二次世界大戦以降の西洋コンプレックスはでき上がっています。

「人間」と書く日本

日本人は「人間」という言葉を使います。「間」です。日本人は人というものを、個人ではなくて「人間」、つまり「人と人の間」であるとします。基本的には家族があり、それは「間」です。「外」との関係も、「外」との「間」をどうするかということが最初にあります。主体がないかと言えばそうではなく、主体はあるのだけれども、やはりそれは「間」の関係の中で生まれる、ということです。さらに言えば自然との「間」というものがあり、日本人には、存在というものはあらゆる「間」の相対的関係の中から生まれるものであるということが先天的にあります。

西洋では、アメリカもヨーロッパもすべてがIndividual、つまり個人が中心です。人は一人で生きるということですが、これは嘘です。なぜなら人は必ず母親から生まれるからです。母と子の関係というものがまず基本的にあり、一人で生きるというのは人間のあり方として不可能です。

そこで西洋は、フロイトのオイディプス・コンプレックス理論に代表されるように、子供と親がいればそこにすでに相克がある、と考えます。両親とその子である自分がいるならば、両親という関係の方が強いから自分は母から疎外される、という意識です。つまり、人間は生まれた最初から不幸であるというところに拠って立っています。

日本人の両親というものは、子供の前ではお互いの愛情を強く見せないように演技をします。子供に、自分は母親の愛と父親の愛を一身に受けているという印象を与えます。日本人はずっとこのやり方を続けてきているのです。縄文時代の竪穴住居は、一家族あるいは多少の親類縁者がそこに加わっても、あるいは三世代の同居でも、そこには家族意識があるということを物語っています。日本には、家族が人間の単位だということが縄文の時代からあると考えられます。

人間のもともとの在り様は、実際は西洋でも同じです。しかし、地理的事情、食糧的事情によって同様には定着しません。移動が強いられる状態であるかぎり、家族というものが解体する可能性がいつもあるということです。すると家族というものにあまり永続性を置かなくなるようになります。子供たちは、常に独立が前提で、他の女性あるいは男性とともに元の家族から離れます。移動とはそういうことであり、家族は解体していきます。

日本には、どこであっても一生同じところで生活できるという風土の豊かさがあります。私は東北にいたから分かるのですが、東北では、村から動いたことがない、一度も東京に行ったことがないという人が結構多い。動かなくても十分に生きていけるからです。私は、このあり方は縄文の時代から続いていると見ています。

そこに、昨今はあまり評価されない年功序列ですが、それは実をいうとあらゆる秩序の前提となるのです。定着しているということから、家族の関係は家の中での年功序列が基本になります。例えば子供が複数いれば、二歳大きいともうお兄ちゃんお姉ちゃんであり、喧嘩相手にはできないことになります。そういう関係は社会に出た後でも成立し、たった二歳の違いでも先輩と呼んで立てるわけです。日本人の当たり前の心理がここから生まれるのですが、これは調和と呼ぶべきもので、世界でもこのことを大事にするように訴えるべきです（もっとも、彼らは無視しようとするでしょうが）。

■「我」の問題

「我思う、ゆえに我あり」という一六、一七世紀のフランスの哲学者デカルトの言葉はあたかも正しいように聞こえます。では、「我」というのは、いったいどうやって「我」になったのでしょうか。母親と父親なしに「我」はありません。環境によって成り立った自分というものがあるということは、どんな場合でも自覚せざるを得ません。また、「我思う」だけで「我あり」と言えるのでしょうか。「我思う」の中に「人間」の「間」というものを介在させなければ「我思う」わけにいかない、というのも当然のことです。

結局、自分が神である、ということを言いたいのが西洋の思想です。例えばマルクスは「私がすべての社会を知っている」という顔をして論じます。しかしマルクスは文化精神については書きません。見えないものは書かないのです。読者は、下部構造という言葉だけを聞いて、それが生きているということだと思い込みます。それに対して上部構造という言葉を使いながら、そんなものは大したものではないという言い方をするために、その通りかもしれない、と思い込みます。

つまり西洋の思想は、捨象、つまり都合の良いように部分を取り除いていくことで成り立っているのです。例えば、一八世紀ドイツの哲学者カントを読んでいると、芸術が分かっていない、ということが分かります。カントは、「芸術は天才が作る」と最初に言ってしまう。しかし、ならば天才とは誰かということは一切言いません。捨象しているのです。

芸術は天才が作る、と言う以上は、天才の「質」を言わなければなりません。カントは、天才が作るということだけで芸術と呼び、質が高いものだとしてしまいます。単なる素人が描いたものなどは芸術ではないということを知っているだけです。天才がどういうものを描くものなのかということは一切言わないし、言えません。

美術史を研究するにおいて学者は、特に私は、作品に星の数をつけていきます。最高は五つ星です。大したものではない作品は一つ星に近づいていきます。この星の数を一目で付けられるようでなければ美術史家にはなれません。私がミケランジェロとレオナルドを研究対象としたのは、二人とも五つ星だからです。北斎を選び、運慶を選んだというのも同じ理由です。天平時代の国中連公麻呂(くになかのむらじきみまろ)も同じことです。

日本人は視覚的な判断力がきわめて優れていると思っています。文字を必要としない時代が長かったことはそれを示唆しています。また、あらゆるものごとや場所を美しく見ることができ、美しいものを作ることができます。物量に頼ることなく美しく見せるということにも長けています。日本に暮らして慣れてしまうと大したことのないように見えますが、これこそが文化というものです。日本は何気ない姿の文化を持っており、それが海外の分かる人には分かり、民度が高い、という評価となるわけです。

社会に反映する家族の意識

個人主義という西洋の典型的な考え方はユダヤ人の考え方から発しています。ユダヤ人がキリスト教を生みましたし、イスラム教も生みました。個人主義も生みました。ディアスポラである彼らは、家族などというものはない、つまり最初から家族は解体していると思っているような人たちです。したがって、意外に家族意識の強い人たちでもあります。団結はするのだけれども、そこには危うさがあり、分裂が繰り返されます。ここに、結局は個人にならざるを得ないという、西洋が基調としている意識があります。

だからこそ「神」という概念が生まれるのです。孤独であり、抽象的な神しか頼るものがないということになってきます。『サピエンス全史』を書いたハラリはユダヤ人で、人間はフィクションで統括されておりフィクションを信じないと生きられない、その代表が貨幣である、と言っています。しかし、特に大きいフィクション、これなしで西洋人は絶対に生きてはいけないというものは「神」です。「神」という概念は、ユダヤ人が最も強く持っています。ディアスポラになってしまえば、人間関係を信用して頼るということはできませんから、「神が私を作ったのだ、だから助けてくれるのだ」という概念を持っていなければ生きていけないのです。だからこそ、強い宗教となっています。

ヨーロッパに長く滞在した経験から、私には、こうした「神」を持つ人々とは一緒に生きることはできないな、という思いがありました。彼らの生き方は非常に闘争的です。研究室で会えば極めて紳士的な大学の先生でさえ、私的な場所では必ず過激なことを平気で言います。「あいつを殺せば、自分はその地位に就ける」といった恐ろしいことを平気で言います。競争が前提の社会では、人は必ず身を削って生きるのです。

日本は、そういう意識のあるなしは別にして、できるだけ競争をしないようにします。誤解を恐れずに言えば、例えば、日本では戦後は人の価値はどこの大学を出たかによってだいたい決まります。つまり、大学を出たその時点でもうその人はそういうものだと諦める、ということです。そういった形で、いろいろな局面で諦めていくということで、俺は何でもできるのだ、俺は偉いのだ、という意識を摘んでいくのです。すると、競争心はあまり強く起きません。日本人は、両親と子供の間で葛藤が起こらないように芝居を自然に行うように、より広い社会の中でもそういう芝居を打つのです。大学の名前で人の価値を決めるなどはもちろんおかしなことです。しかし、日本人は、喧嘩が起こらないように、そうした方法でブレーキをかけていきます。

一方、西洋では喧嘩状態が完全に続きます。中には日本的な生き方のできる人もいて地方で穏やかに農業や酪農を営んでいる人もいますが、都会に出て生きている人たちは、厳しい競争の中にいます。日本は小さな競争を少しずつ踏んでいって穏やかに諦めていくわけですが、西洋はすべて一気に競争がのし掛かります。日本とは競争社会の質が違うのです。

日本の社会の方が、はるかに、人間が不満を持たないようにできています。喧嘩をせずに済む術をみんなが身に付けている、と言ってもいいでしょう。例えば、年長者を立てるということがあります。戦後という時代は、ある意味でそれを崩そうとしたわけですが、崩せませんでした。私は、それはそれでいいと思っています。立てられた方の年長者は、その責任感から自分を磨くということがあり得ます。可能性を開いているとも言えるのです。

日本の文化についてレヴィ＝ストロースは、西洋に精神的健康の模範を提供するものだ、ということを言っています。精神的ということは、秩序を尊重する、ということに関わります。問題は、自然的秩序ということです。例えば年長者というのは、自然に上にくるものです。日本は、自然の中に定着することによって家族を作り、その家族の意識を社会に及ぼします。

外からの刺激を受けやすいという日本の特性も、やはり家族ということの中で養われたものです。日本人は異様に好奇心があって異様に感受性が強く、外国人が来たら何か嬉しくてしょうがないというような人が多い。海外なら、まずは用心せよ、ということになるでしょう。家の中にずっといると、来客を、それだけで嬉しいと思う。来客が帰るときには泣き出してしまう子供もいます。遊牧民の争いに見られる外来者に皆殺しにされるような歴史の経験がない、島国というもののいいところなのでしょう。日本人は自分と違うことをかえって喜び、尊重するという方向へと向かいます。戦後のように憧れが過ぎてしまって妙な西洋風を取り入れてしまう場合もありますが、日本の方式が定着しているだけ、しっかりとした生活様式があります。日本はずっと、他から受けた刺激を少しずつ取り入れながらやってきたのです。

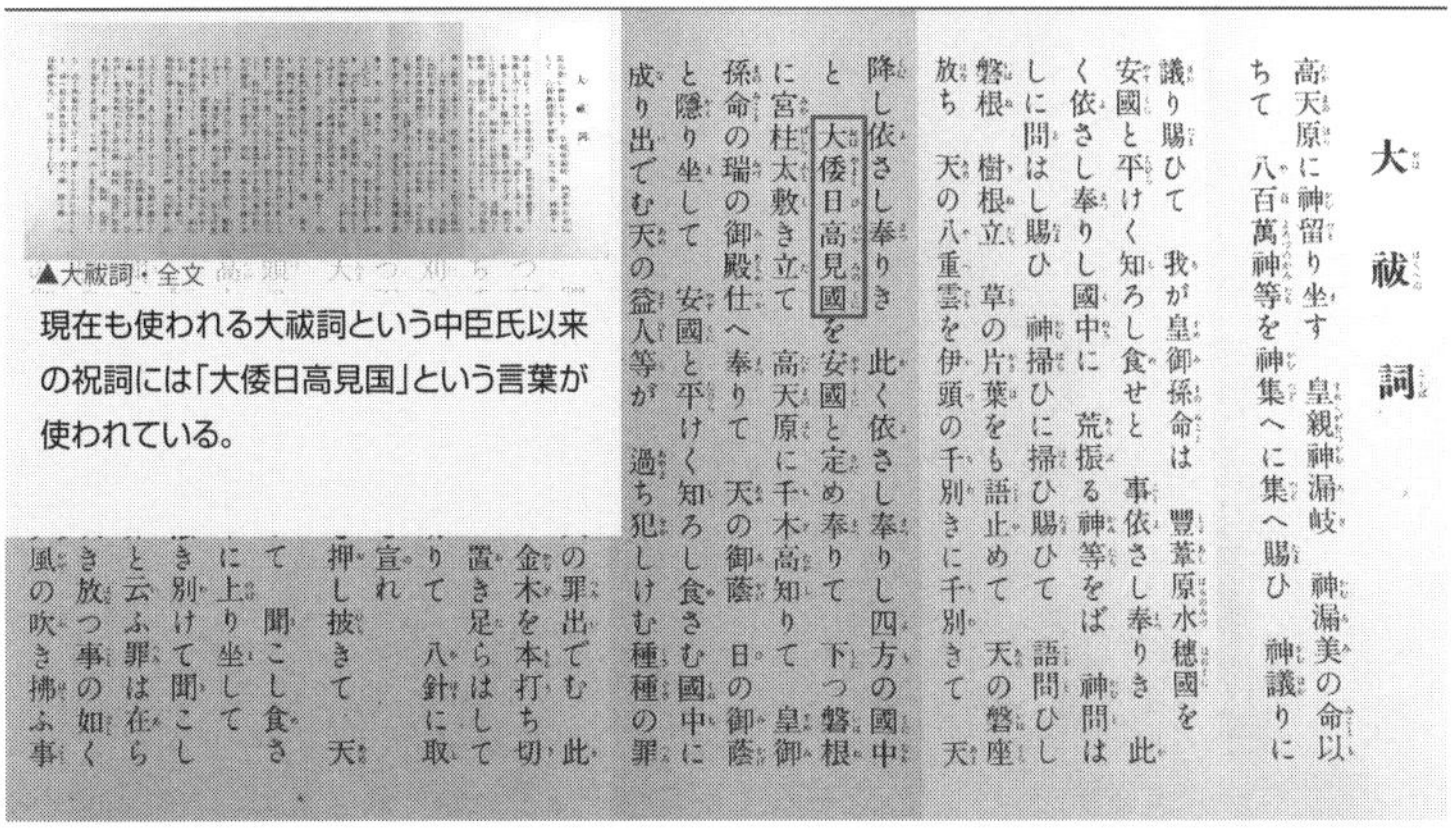

大祓詞

高天原に神留り坐す　皇親神漏岐　神漏美の命以ちて　八百萬神等を神集へに集へ賜ひ　神議りに議り賜ひて　我が皇御孫命は　豊葦原水穂國を安國と平けく知ろし食せと　事依さし奉りき　此く依さし奉りし國中に　荒振る神等をば　神問はしに問はし賜ひ　神掃ひに掃ひ賜ひて　語問ひし磐根　樹根立　草の片葉をも語止めて　天の磐座放ち　天の八重雲を伊頭の千別きに千別きて　天降し依さし奉りき　此く依さし奉りし四方の國中と　大倭日高見國を安國と定め奉りて　下つ磐根に宮柱太敷き立て　高天原に千木高知りて　皇御孫命の瑞の御殿仕へ奉りて　天の御蔭　日の御蔭と隠り坐して　安國と平けく知ろし食さむ國中に　成り出でむ天の益人等が　過ち犯しけむ種種の罪

の罪出でむ　此
金木を本打ち切
置き足らはして
りて　八針に取
宣れ
押し披きて　天
て　聞こし食さ
に上り坐して
き別けて聞こし
と云ふ罪は在ら
き放つ事の如く
風の吹き拂ふ事

▲大祓詞・全文

現在も使われる大祓詞という中臣氏以来の祝詞には「大倭日高見国」という言葉が使われている。

●大祓詞（おおはらえのことば）
大祓詞には、日本人古来の考え方「穢れ」「罪」「過ち」を払う祝詞が読まれている。祝詞は霊力を持ち、古来から受け継がれた特別な言葉とされ、「言霊」という考え方もある。

現実の人間への視線

レヴィ＝ストロースは、日本においては神話と歴史は繋がっているということを強く感じる、と言いました。『古事記』はより文学的に、『日本書紀』はより学者風に、おのおのの神話が知らず識らずの内に歴史に溶け込んでいる、としています。晩年近くのレヴィ＝ストロースは、日本を、本当に愛したことが見てとれます。神話の環境がある日本が、レヴィ＝ストロースにとって救いになったのだと思います。レヴィ＝ストロース自身マルクス主義者でしたが、人生を進めていく内に唯物論に耐えきれなくなったのでしょう。

私は『古事記』を読み返し続けていますが、レヴィ＝ストロースの言うように感じます。神話は現実にあったことを脚色したものであり、高天原の物語は東国に実際に存在した日高見国という国の物語です。平安時代中期にまとめられた行政の施行細則『延喜式』に収録された祝詞（のりと）に出てくる「大倭日高見之国（おおやまとひたかみのくに）」は日本を指している言葉です。祝詞は神道が最も重要とするものであり、そこに登場する我が国の名前が大倭日高見之国なのであれば、日高見国という存在を認識及び理解して初めて日本が分かるのだということは瞭然です。

一方、例えばギリシャ神話は、現実的なところを超えた、奇跡を平気で起こす世界です。神話として扱われることはありませんが、ユダヤ人は、旧約聖書に書かれていることは、現実にあったことだと信じています。真実であると信じたい。ユダヤ民族が最も優れた選民であるということを、神を裏切るという恐れとともに、辛い生活や国がないことに耐え、モーセの律法を解説したタルムードを読んで慰め、二〇〇〇年来やってきたわけです。

私は美術史家として、西洋のフィクションの表現の強さに感心はします。醜い歴史をいかに美化するか。数多く描かれていますが、そのうちのキリストの磔刑（たっけい）などというのは、手に釘を打たれ、ぶら下がって殺されているわけですから、一番見苦しいものの一つでしょう。しかし彼らは、極限の状況を引き受ける人を見ることで逆に自分たちを慰めるのです。

日本が美しいのは現実の景色が美しいからです。現実が美しいから現実の人を平気で美しく表現できるのです。私はそれを仏像に見ています。日本人は仏像を見て、ああいうふうになりたいと思います。日本人はお経を読むことで仏になりたいと考えているわけではありません。「ホトケ」とは、

「ホト」が「仏陀」であり、「ケ」は「形」です。日本では最初から仏像が信仰の対象です。日本人は基本的に見えるものしか信じません。したがって仏像が美しいのは、実は日本だけです。インドや東南アジアの仏像は画一的なものです。

西洋側からすれば、日本人には地獄もない、天国もない、神もない、ということに驚いています。坊さんが歩いてくる。日本人は、坊さんが人間であるということに感動します。その生き方に感動するのが日本の宗教です。そういう人がやって来たということを拝みます。何かがどこかの向こうにいる、あるいはマリア様が現れたなど、いわゆる奇跡を信じるということは日本にはほとんどありません。すべて実際に存在し、そして、その生き方の中に仏を見るのです。

平安末から鎌倉初期の仏師、運慶の有名な作品に「無着・世親像」と呼ばれる二体の彫刻があります。人間像として非常にリアルな作品です。教科書的な解説ではインドの高僧である無着・世親兄弟の像ですが、私は、残っている肖像画との相似から、無着は当時を代表する文化人であった西行だと思います。世親は神護寺の僧に似ています。生きた人間を尊敬し、実在の人物をモデルとしているわけです。常に現実の人間に対して視線を持ちます。世親は時の文覚上人です。これも肖像画の上人とそっくりです。

西洋は、見えないものを見ることに執着します。だからこそ理想化が激しく、美しいということがあるとすれば、それが理由です。西洋には英雄と呼ばれる存在が多い、ということもそこに理由があります。神に近い姿を人間に見たいからです。そのための言葉で作っていく。レジェンドを設けて、非現実的な偉人に仕立てていきます。日本は現実を見ますから、そんなに英雄はいません。ヤマトタケルなどは英雄らしからぬことを平気でやります。織田信長や豊臣秀吉をいくら英雄と呼んだところで、両者の欠点も言い、それほど超越的な人物ではないような人でもあるわけです。

日本は、美しくする、ということをしません。自然そのものが美しいからです。美男美女ということで言えば、そこには、典型的な美人の姿は描かれません。『源氏物語』に登場する女性も、姿よりも状況表現によって描き分けられます。『源氏物語絵巻』には顔と、引目鉤鼻の女性で統一化されています。江戸時代に初めて美人画というものが出てきますが、気品だけが描かれ、目鼻立ちはほとんど同じです。したがって、どんな人を美人というのか分からないのです。

日本人が信じてこなかったもの

中国というものに対して、世界は現代においてもかなりの誤解があるようです。あの孔子を出した国だから、大人物たる大人（たいじん）が指導しており、国民全体に道徳がある、少なくとも道徳を守ろうとする精神がある、という誤解です。孔子が創始したとされる思想体系を儒教と呼びますが、その道徳律には、「こうすべきだ」というものがあって感心はするけれども、現実としてそれをできるか、という問題が常にあります。ぜひそうしよう、というところに降りてきません。孔子は、親に恩を感じることもなく、人のお蔭で出世をしたこともない人物でした。あのようなことを言いながら生き方そのものに、およそ道徳で感心させるような行為というものがありませんでした。しかし、とにかくこうあるべきだという思想だけがあり、表現としてだけ残しました。決して狭いという意味ではなく、自分自身の周り、そこで目に見えるものしか信じない日本人は、観念的なことばかりを言われることに対する拒否反応が強いのです。拒否反応というよりも、分からない、と言った方がいいでしょう。評論家の石平氏は、「日本に本当の儒教が成り立っている」と述べていますが、それはやはり中国側からの見方というものです。日本人は、家族を単位として秩序の中で生きていくということを、儒教として、道徳として習ったことはありません。

キリスト教は徳川幕府の強い弾圧によって流布しなかったとされることがありますが、明治以降、解禁になっても日本のキリスト教信者の数は現代の現時点で総人口の一パーセントもいません。どうしても西洋が言ってくる言葉を理解できないということであり、それはつまり、彼らの言う神というものを信じられない、ということです。日本に唯一、仏教が入ったのは、仏教が人間の宗教だからです。仏像の美しさと、坊さんの生き方が目に見えるからです。

神道は共同宗教であり、みんなで生きよう、共同社会で生きようということを志向します。仏教が入り、人間は凡夫なのだ、と語りました。人間は一人ひとりで生きるものだ、それぞれ死ぬ時期

●ミケランジェロの「創世記」
システィーナ礼拝堂の天井に描かれていて、旧約聖書に由来したストーリーで構成されている。
作者のミケランジェロは、礼拝堂の天井に手が届くように足場を自ら設計したとされている。

も違うのだ、ということを言いました。仏教を入れることについてはユダヤ人系の秦氏も貢献しています。京都を代表する名刹である広隆寺は秦氏が建てた寺ですが、秦氏は元々、自らの元来の宗教であるキリスト教ネストリウス派の教会を建てるつもりでいたと思われます。しかし、仏教の寺に変えました。秦氏は、日本に生きる以上は日本が一番適用しやすいものを自ら率先して選ぶということを実践しました。

科学的思考の下地

西洋は、神が自然を作った以上、自然には規則があり秩序があると考えます。システィナ礼拝堂の天井に描かれたミケランジェロの『創世記』の画を見ると、それがよく分かります。神が一番立派に見えます。他の太陽も月も、何もかもが明確に描かれていません。西洋は神の観念が強く、神というものに近い人が偉い。科学は、自然界には秩序があると考えて謎解きをするということです。つまり神が作った自然界の謎解きをする科学は、神というものに近い偉い人が行うものなのです。

日本には、自然は広く大きく探求したところで絶対に及ばない、という思いが最初からあります。受け入れるものを受け入れてそれを活用する日常的な技術については毎日考えますが、全体を考えてここはこうなるべきだなどということは考えません。日本では科学が宇宙までにいかない理由はそういったところにあるのでしょう。様相が変わったのは江戸時代です。宣教師、つまり西洋が入ってきました。宣教師はコレジオと呼ばれる一種の学校を作り、医学を教え、科学もある程度教えました。神が作った自然であるにせよ、理論的なことが分かれば解明できるのだという意識を与えたわけです。

ただし、その下地というものはありました。縄文以来の日本古来の認識は、自然があれば十分である、というものでした。そこに登場するのが、私が研究を続けている、ユダヤ系の秦氏の存在です。平安期の『新撰姓氏録』には、秦の始皇帝の末裔（まつえい）であり、応神天皇一四年（西暦換算二八三年）に大陸から日本に帰化した弓月の君（ゆづきのきみ）を祖とする、と書かれています。

古来、墓というものは、遺体については手足を屈ませて釜に入れて納めるものでした。それが、棺に横に寝かせて入れるという形になり、前方後円墳の丘の部分の一番上に置くという形になりますが、これは西洋の人である秦氏でなければ知らない死体の処理の仕方です。棺を作って横に寝かせるというのは復活を見込んでいるということです。前方後円墳に円とは何かという意味を持たせ、同様の古墳を大量に造成しました。そこには、山であり大地であり、あるいは天球であるという完全性があります。

興味深いのは、このことが、『古事記』が、天地から世界が始まる、混沌から、自然から始まる、と言っているのと対応している、ことです。『古事記』『日本書紀』ができていくのは七世紀の終わりから八世紀にかけてのことです。その作業に、秦氏が、文官や書記官として入ってきます。彼らは、漢字も知っており、同時に西洋の論理性ということも知っている人たちでした。彼らの作業によって日本に、骨格というものが格段とできてきます。

前方後円墳の大きさと幾何学性、つまり一つの大きな形としての一貫性というものが世界にはあるのだということを日本人は教えられました。そして秦氏のそうした能力に、当時の日本人は乗ったのです。秦氏はまた、そうして乗ってきた日本人を技術的、資金的に援助しました。農耕、狩猟、漁労、そしてあらゆる産業を興していき、財を作り出して、金のかかる大規模な建設事業を可能にしたのも秦氏たちでした。そうした産業を継いでいったのも、役行者（えんのぎょうじゃ）をはじめとする秦氏系の僧侶たちです。人々を啓発して生活を良くする。寺がそういう役割を演じていったのも秦氏の流れの中にあります。

日本語が難しいことの良さ

日本語は、丁寧語、尊敬語、謙譲語など敬語の存在一つをとってみてもたいへん複雑な言語です。私が日本語は絶対に保つべきだと思う理由はそこにあります。相手に対して使う丁寧語なり尊敬語が一貫していれば一貫しているほど、それは人に対する誠実さを守るということでもあります。つまり、関係を保つ、ということです。日本語は素晴らしい、ということの意味はそういうことです。外国人に、なかなかそのニュアンスは掴めません。伝えることはでき、自分を主張することはできたとしても人との関係を調整することができないのです。誤解を恐れずに言えば、外国人の話す日本語は、言語としては正確ではあっても、いつもどこか失礼だという感じがあります。

敬語は、父母と子供の関係から培われるものです。先代から習って親の方が知っているに違いないわけですから、自然に敬語は身に付くはずです。しかし戦後、家族の間で敬語などとんでもないといった風潮が生まれて表向きは消えているように見えましたが、日本人の生き方そのものは以前と変わらずに残っています。

本来は、言葉などなくてもコミュニケーションできる共同体が理想でしょう。家族というものにはそういうところがあります。語らずとも、というのが夫婦です。そこを退屈だとかという言葉を使って非難し始めたのは戦後になってからです。家族で食卓を囲むときには黙っていないで喋りなさい、というのは、欧米の真似をし始めた、ということに過ぎません。

もちろん語り合うことはいいことなのですが、いただきますと言って感謝しながら味わって食べることの方が、日本の伝統と文化にふさわしい。これは、壊そうとしてもそうは簡単に壊せないものでしょう。

こういったことの大事さを知ることによって初めて日本人が回復できます。生き方というものを無視して言葉の社会に入り込んでしまえば、西欧近代というものの虚構、つまりユダヤ人の言葉だけの文化に負けてしまいます。

ユダヤ人にとって神は言葉です。実体がなくても言葉で感じる、ということです。日本では考えられないことです。アマテラスは太陽であり、太陽はそこにおられるから信仰するのです。日本はあらゆる神が自然です。七世紀以降、日本では死んだ方も次々と神になっていきますが、例えば聖徳太子が亡くなった後に聖徳太子信仰ができ、それにまつわるお寺ができるというのは、言葉ではなく、その存在そのものが尊いと思うからです。

したがって神道に説教はありません。存在そのものを大事にするのですから、それ以外の説教つまり言葉などいりません。全くユダヤ人の言葉の宗教と対称的です。

そうした対称性が今までは、原始的で遅れているとして日本人のコンプレックスになっていました。しかし、そう思う必要は全くありません。その対称性が、日本に来ると本当に楽な気持ちになる、といった外国人の印象を生みます。

夜間に出歩いても安全であるなど、日本人にとっては普通であることが世界では全く稀なものである、といったことになるのです。

列島の利

日本の素晴らしさは日本という列島の現象だと私は考えています。自然が豊かであり、自然に裏切られない、ということです。もちろん台風や地震、津波がありますが回復可能です。もちろんそこには一定の不幸がありますが、それほど精神が傷つくものとはなりません。ある意味でそれは人生の中の計算済みのことで、諦めるという心境を日本人は非常に大切にします。

日本の神話には「国譲り（くにゆずり）」が出てきますが、日本は、国を譲って損をしたということも忘れます。損をした人は愚かだ、などといったこともありません。無私が良い、無私である人は立派だという思いがあるのです。

これは、列島の中における人々の信頼関係によるものです。他者がいない、他から攻撃できない、見知らぬ人がいない。そういった非常に幸運な地政学があります。本来、人間の生きている場所にはそうした信頼関係があるべきです。世界は不幸な国が多すぎるというのは確かなことです。自分が今住んでいるのと同じところに、太古の昔から祖先が住んでいたという国は今や日本くらいのものでしょう。これこそが幸運だと思うことによって、初めて世界貢献もできるのです。安心な世界、誠実な社会というのはこういう社会なのだとアピールできます。世界はそれに気が付き始め、今、日本が非常に注目されています。興味深いことに、特に一方のユダヤ人のメディアがそういうことを言い始めています。

日本列島の独自の現象だとはいえ世界中の家族の在り方は同じではないか、ということを理論化して語ることが世界貢献ということであり、日本人の正しい言論であろうと思います。マルクスあるいはエンゲルスが言うように階級闘争などというものが本当にあるのか、フロイトが言うように子供は最初から不幸だなどという現実があるのか、それは日本だからこそ正せることに違いありません。日本の共同体原理は「和を以て貴しとなす」にあり、これは間違いなく世界の原理ともなるべきものだということを、世界に明確に伝える必要があるのです。

感情の尊重

日本人は口数よりも、沈黙の表情で語るということに非常に長けているようです。西洋人の方がジェスチャーが大きくて感情表現には優れているように見えますが、微妙な表情を読み取る、そしてまた、静かな怒りといった表情に、万感の思いが込められている。それを読み取るということにかけては日本人が上です。これは、言葉の形式性の中に閉じ込めた概念でしか世界を見ない西洋というもの、あるいは中国というものに対する、重要なアンチテーゼとなるものだと思います。

例えばミケランジェロに『ダヴィデ像』という作品がありますが、眉間に皺を寄せています。つ

●ミケランジェロの「ダヴィデ像」
ダヴィデ像はミケランジェロの代表作で、ルネサンス期のもっとも卓越した作品の一つ。フィレンツェ（イタリア）のアカデミア美術館に展示されている。実物は大きく、3・88メートルにもなる。

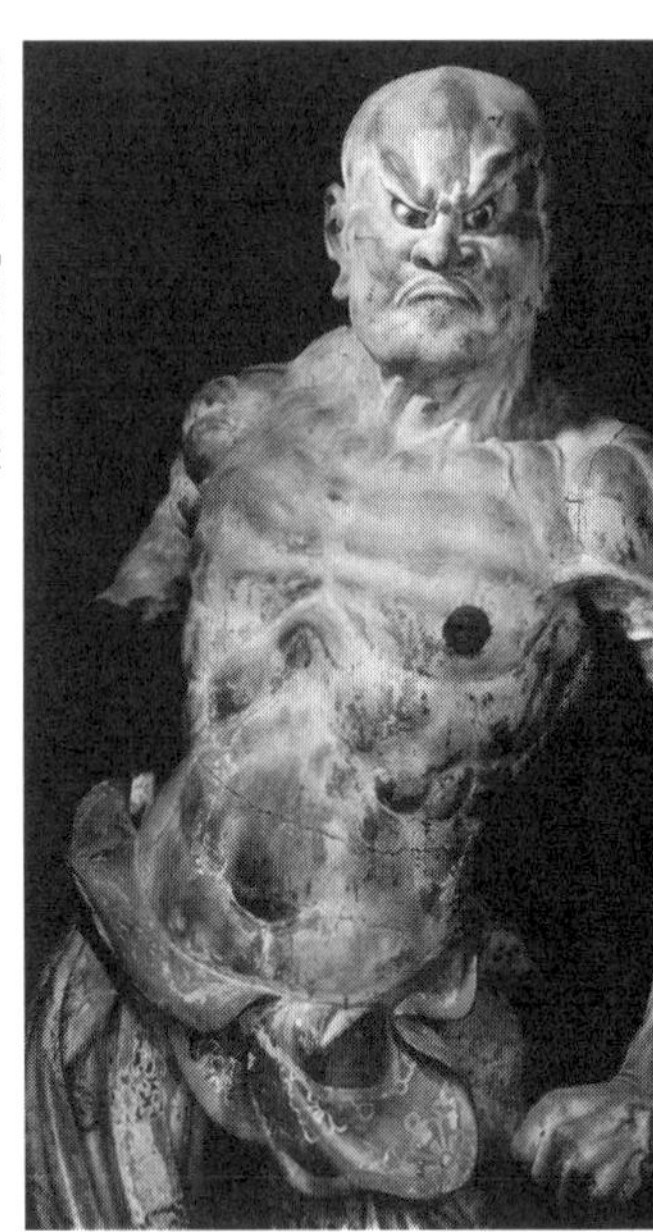

●興福寺の「金剛力士像」
興福寺の金剛力士像は寺伝では定慶の作となっているが確証はない。サイズは人身大で完成度がとても高く、鎌倉彫刻の特徴を遺憾なく発揮する像として知られている。

まり、これは怒りの表現です。憎しみというものが、最小限に表現されているわけです。一方、怒りの表現ということであれば、日本には多くの「忿怒(ふんど)像」があります。東大寺の四天王、新薬師寺の十二神将、興福寺の金剛力士像などです。こちらは怒りというものが強く表現されています。

この違いは何でしょうか。日本は、人間は自然的存在であるとしますから、怒り、喜び、悲しみ、そのすべてを肯定します。自然はそれだけでそこにあるものであり、人間もその一部である以上は感情を感情としてそのまま認めます。しかし西洋には神がいます。神によって人間的表現は制限、場合によっては否定されます。神が最上の善であり、やはり人間は一段下に置かれるのです。人間の感情は、ある種の罪であり、人間の愚かさです。

ただし実際は西洋人の方がはるかに毎日怒っています。西洋の個人主義というものには常に自己に対する過信があり、それが掣肘(せいちゅう)される、抑えられてしまうという抑圧感情が大げさな感情に変わっていきます。日本人は大人しい、あまり感情を表に出さない、というのは、別に誰からの抑圧も受けていないからです。怒るときには徹底的に怒るという感情も、やはり自然というものが与えているのだと日本人は考えます。したがって、大嵐も大地震もすべて自然のものとして認めます。西洋ではそれを人間への抑圧、人間の力の衰えから起こる神からの罰などと捉えます。

金剛力士像については興味深い点が多々あります。金剛力士は釈迦や如来、菩薩を守る役割を持ってそこに立っています。そして、守られる釈迦や如来、菩薩はほとんど怒らず、目が細い日本人らしい顔をしています。怒りの表現は、やはり脇侍に多く見られるのですが、彼らは実は日本人的な顔をしていません。顔立ちがはっきりとしていて鼻が高く、西洋的な顔をしています。つまり、『発見！ユダヤ人埴輪の謎を解く』などで考察した、日本にやってきていた西洋人の系統が、日本人的な顔をした釈迦や如来、菩薩を守るという方向で存在しているのです。帰化人には確かに偉丈夫な人たちが多い。スサノオがそうであるように、ヤマトタケルがそうであるように、あるいは相撲に長けた巨漢の人々がそうであるように、日本の中に入り込んでいき、そして、決して天皇に逆らうことなく、天皇を守るという方向へ行ったという歴史的な事実をも示しています。

日本人はよく涙を流します。泣くということもやはり自然の一部です。正直であり、無理をしません。自然はあるがままにあり、人間も同じようにするべきだと考えているからです。金剛力士像は確かに戦うための引き締まった体をしていますが、相撲というのはどちらかといえば戦うためというものでもなさそうな体つきをしています。女性もまた、とりわけて美を見せつけるということはあまりしません。

日本人ほどありのままに生きることを好みます。自然がそうなのだからそれでいい、そこには自然に規律というものもある、適正に生きることが一番いい。これを「自然道」と言い、それが最もよく表れているのが日本の「釈迦像」の姿です。自然に生きるという姿は仏像にも適（かな）っている、ということです。日本に宗教はないとはよく言われることですが、宗教がなくてなぜ道徳があるのかと言えば自然道だからです。説教といったような、そこには何の言葉も必要なく、お天道様とともにただ生きていれば良いということです。

「金剛力士像」の怒りには、もちろん釈迦や如来、菩薩を守るための怒りということがあるわけですが、同時に怒りという自然そのものを表現するという喜びがあります。何に対して怒るかということは必ずしも必要ではなく、怒りそのものに自然を見て、喜びを見ます。怒りは決して悪いものではなく、怒りも人間の一つの表現なのだという思いが込められています。ですから嫌味がなく爽快です。相手を低く見て、いつか復讐してやろうなどといったヨーロッパ的な怒り、罰するといった卑しい感情がありません。

武士の本音

『ダヴィデ像』はミケランジェロの他に、ドナテルロやヴェロッキオといった彫刻家も製作しています。カラヴァッジオの絵画もあります。後にイスラエル王となる少年ダヴィデは敵対するペリシテ人の巨人ゴリアテを倒すわけですが、一般的には勝利後のダヴィデがモチーフとされるところをミケランジェロは対戦前のダヴィデを彫りました。自分は無力な若者だがゴリアテの急所を知っており、今まさにそこを狙おう、ということで石を握っています。

●レオナルド・ダ・ヴィンチの「モナ・リザ」
「モナ・リザ」はイタリアの美術家レオナルド・ダ・ヴィンチが描いた油彩画。1503年から1506年に制作されたと考えられている。世界でもっとも有名で、価値があるとされる肖像画の一つ。

そこには不安というものがあります。ここがミケランジェロの巧みなところであり面白いところです。人間の生活あるいはあらゆる行動のすべては、不安とメランコリーの中にあるということをミケランジェロは示しているわけです。怒りと不安を二重に表すことこそのものがミケランジェロの表現の深さで、ここにやはり偉大な芸術家の要件があります。ミケランジェロは詩作もしていました。人間は単純ではないということを知っており、個人を表現する術を知っていました。

ミケランジェロは後に「奴隷像」を描くようになり、苦しみをそのまま表すようになります。「高貴なる単純、偉大なる静けさ」を旨とするクラシシズム、いわゆる古典主義があり、その後、一六世紀半ばくらいにマニエリスムという様式が現れます。古典主義が好む世界や社会などあり得ないだろうという不安が出てくるわけです。レオナルドであれば『モナ・リザ』のような安定した美しさがあるのに対してミケランジェロには「微笑み」がなく、不安、つまりメランコリーという表現が顕著になっているのです。

私はそうした推移を日本の平安時代に見ています。天平の時代にあった東大寺の「月光菩薩」のような輝くばかりの高揚感や調和性が、平安時代に入ると揺らぎ、知的な偏向や冷たさ、精神的なゆるみが出てくるようになります。これは実は、芸術としてはわずかではあっても衰退している証拠です。そして、西洋の流れにおいては「マニエリスム」の後に「バロック」がやって来ます。実質そのものよりも動きが表現の中心になり、人間の感性や本能を感じさせる様式です。日本においては鎌倉時代にあたるでしょう。つまり武士の時代です。

朝廷、あるいは天皇家というものがあり、それを守るはずだった武士たちが自立し始めます。公家に対抗するわけですが、この時代にはまだ不自然さがあります。「バロック」に見られるある動勢が伴なっていないのです。実力ということで言えば公家、つまり貴族たちは武家に完全に排除される運命であるはずなのに、なぜ存続し続けたのかという点です。武士たちは、暴力を職業とする人たちであり、本来の人間の生業ではないということを知っていたのです。したがって公家を残し、皇室を残したのです。

武士の本音は公家の伝統にあります。戦わずに存在して文化を作っていく、そういう存在が人間にとって一番いい、ということです。自分たちは確かに強く、上皇でさえ島流しにできるけれども、そういうことで支配するのは決して人間的なことではない、ということを武士たちは知っていました。

中国には易姓革命の理論があり、西欧には後に暴力革命の理論が生まれます。日本には元来、そうした考え方はよろしくないということがあるのです。したがって日本人は、縄文時代から続く平和というものを保ち、革命は一度も行われていません。古来、日本には中国人も朝鮮人も、ユダヤをはじめとする西欧系の人間たちも渡来していたのであり、革命的な要素も入ってきていたはずです。確かに蘇我氏の時代などに、その傾向が顕著だったのです。しかし、乙巳（いっし）の変で蘇我氏が復讐されたようにそれを抑えるモラルが日本にはありました。それがやはり一二六代続く天皇に対する日本人の心です。

天平時代のものですが、私がかねがね世界彫刻史上最高傑作の一つではないかと考えている彫刻に、東大寺の戒壇堂の四天王像があります。その中の一つが、広目天像で、国中連公麻呂の作です。邪鬼を広目天が踏み付けている像であり、邪鬼こそが敵だとしているわけですが、ここで言う敵とは決して外の敵ではなく内的な煩悩です。したがって広目天の怒りの表情は、卑しく見えません。

積極的に前に出て対立者と戦おうとする怒りではなく、内に籠もっている敵に対する怒りです。金剛力士像と同じ怒りであり、そこには古典的な天平とバロック的な鎌倉との、表現の仕方の違いがあるだけです。こうしたことはミケランジェロを生んだイタリアの人々にもなかなか理解できることではありません。私が繰り返し説明して、イタリア人もやっと分かった、という経験がありま す。

■日本の「公」

国宝に指定されていますが、京都神護寺所蔵の神護寺三像と呼ばれる三幅の絵があります。源頼朝、平重盛、藤原光能の像とされる三幅です。フランスの文化相を務めていた作家アンドレ・マルローが、近代的な人間性を感じさせるとして「平重盛像」を特に評価したことで知られています。

源頼朝と平重盛の像を見比べてみると、源頼朝の方がはるかに「公」の顔をしていることが分かります。マルローは平重盛像を評価して、「公」の顔をしている源頼朝を否定的に見ましたが、それは、近代の概念がマルローにおいては支配的だからです。近代は基本的に権威、権利、権力といったものを否定します。フランス革命はまさにルイ一六世という権威を倒し、公というものが持っている超越性などは嘘であって否定しなければいけないものだという意識を広めました。とはいえフランスはその後すぐにナポレオンを、最終的にはド・ゴールを出しているのであり、人々は権威的存在を常に求めるというのは確かなことでしょう。

源頼朝と平重盛の像は、同じ時代に描かれています。同時代において、源頼朝像には公というものを意識した人間のオーラがあり、平重盛像とは異なっています。平重盛は平清盛の嫡男です。清盛に対して牽制もし、平家の存続に尽力した人物でした。聖武天皇が「この大仏が壊れるときには国が壊れるときだ」と言っていた東大寺の大仏を、平家は破壊しました。これは公に対する大罪であり、滅ばざるを得ない道を平家は選んだと言うことができるでしょう。

つまり、源頼朝像が発しているオーラの「公」性は、マルローの言う封建体制あるいは絶対王政の「公」ではありません。実を言うと、源頼朝像は天皇像に近いのです。本来であればこれは源頼朝ではなくて、天皇の尊顔でよいものでしょう。源頼朝については伝源頼朝坐像と呼ばれる木彫がありますが、こちらの顔はあまり品格がなく、世俗の人という印象があります。神護寺三像の源頼朝像はそれをはるかに超えていて、私心のない、俗世間を超越している印象を与え、であれば、そういう存在は天皇しかいないわけです。

源頼朝像は一世紀後の足利直義を描いたものだなどとも言われているようですが、私は、藤原信実の作だと見ています。定説は藤原隆信でしたが、その息子で、活動期は隆信の五〇年ほど後の画家です。つまり、それくらいの時間経過があれば、同じ作家が、対立していた源氏と平家を並べて描くことが可能です。信実は後鳥羽上皇も描いていて、下絵の在り方、様式が似ています。

信実の時代には、源頼朝が神々しく見えたのだと思います。すでに鎌倉幕府は開かれ、後衛の北条が武士の世界を作り上げていました。源頼朝像が神々しく、天皇の姿に似ているというのは、源頼朝が北条家つまり鎌倉幕府に、常に天皇家が上にあり自身はその将軍に過ぎないという意識を強く植え付けてきたからです。後に後鳥羽上皇の変があり、「頼朝公の恩に応えよ」という北条政子の有名な演説があって東北の武士が結束し、武家が公家に取って代わる時代を明らかにします。後鳥羽上皇、つまり皇統のお一人を平気で島流しにするわけですが、命を取らなかったところには、やはり敬愛の念がそこにあったからです。

マルローは平重盛像について、歴史上初めて日本人の個人を見た、ということを言います。絵画としてもちろん優れているから海外からこうした評価も受けるわけですが、源頼朝像と平重盛像の両方があるから素晴らしいのです。源平を超えて、公と私です。日本人は両方を描ける、つまり両方を持っている、公も私も蔑ろにしない、ということがよく分かります。

●ラファエルロの「アニョーロ・ドーニ夫妻像」妻のマッダレーナは、『モナ・リザ』と同じポーズを取っており、レオナルド・ダヴィンチの影響を色濃く感じることができる。

レオナルドのモナリザがあれだけ高貴なのは貴族の姿だからです。一般的にはフィレンツェの商人の妻ジョコンダを描いたものだと言われてきましたが、それはとんでもないことです。商人はあんな顔はしていません。現にラファエルロの『アーニョロ・ドーニ夫妻像』を見れば、(この女性像の姿は明らかに、『モナ・リザ』像を模倣しています)その違いが分かります。この女性像が、宝石をたくさん身につけて、冷い顔をしていることが分かります。一方『モナ・リザ』は金銭のことなど考える必要のない、公に奉仕するノブレス・オブリージュ（noblesse oblige）と呼ばれる貴族ならではの義務を背負った人でなければ、あれだけ優美な顔、高貴な顔とはならないでしょう。その絵は、『モナ・リザ』とそっくりなデッサンが残っているエステ家出身のマントヴァ侯妃イザベラ・デステを描いたものだと私はレオナルド学会で発表しているのですが、ヨーロッパ人は、分かっているくせに聞く耳を持ちませんでした。なぜか、と言えば、フランス革命以降にできたルーヴル美術館には、貴族の姿はふさわしくない。革命後の市民が集めたルーヴル美術館には、市民社会の面子というものがあるからです。市民でもこういう顔になるのだ、としておきたい。近代という時代が、『モナ・リザ』は商人の奥さんである、としておきたいのです。

いずれにしても、日本人は、一三世紀の時点においてすでに「公」と「私」の両方を描いていたということができます。そういう日本の社会の在り方が西欧人には分かりません。したがって彼らは日本の歴史を書こうとしないのです。大仏像があり、日光月光菩薩像があり、源氏物語があり、といった優れた文化が日本にあることは知っていても、日本というものが彼らの理解の範疇に入らないから、その歴史を扱おうとはしないのです。その問題意識があって書いた著作が、『日本美術全史―世界から見た名作の系譜』（講談社、一九九五年）でした。いつ何ができたかというだけの編年体の歴史書ではなく、西洋の論理に合わせて、西洋人に分かるように書いた日本美術史です。ところが、分かるようにしてしまうと彼らは戸惑います。日本の美術は世界ないし西洋と十分に対抗できるものである、と言った途端に外国人は黙ってしまうのです。

日本の「私」

神護寺三像の源頼朝像の顔が、天皇に近いと感じるのは、天皇は無私であり、自分のことは考えず、すべて赤子、つまり国民のことを考える存在であるということが日本人の意識に定着しているからです。戦後の左翼による歴史観は『古事記』『日本書紀』を否定し、天皇などはいつ存在したのかも分からないようなこととし、存在そのものを否定的に見ることが習慣になってしまいましたが、日本人は変わってはいないところが多々あるのです。天皇は無私の存在であり、国民を常に考えている存在だということを国民は実感として知っています。私は、世界中で日本の政治が最も理想的なものだと考えています。天皇は万世一系であり、それこそ封建的なことではないかというのが現代の価値観のようですが、それに代わるような政治は世界に今までありませんでした。

鎌倉幕府開闢（かいびゃく）以降、北条家が力を持ち、御成敗式目といった法律まで作られます。とはいえ武士は、自分たちは主役ではなく、やはり天皇と皇族が主役であることを知っていました。御成敗式目の「成敗」とは土地の成敗をするという意味です。ただし、その成敗の基本は天皇家と貴族が設定した七世紀からの律令にあり、その律令は、難しい漢語で書かれている限りは武家に対して恣意的に運用できるものでした。御成敗式目は武士にも読める簡易な文体で書かれ、この時点で武士の世界も一応法律をもって律せられることになりましたが、その基本はやはり律令にあるのです。

戦後の歴史家には、ここに日本の近代が生まれたという人もいます。法をもって、権威に屈する必要のない人間らしい社会が生まれたというわけです。王権を制限することとなった一三世紀イギリスの大憲章いわゆるマグナ・カルタに匹敵するものだと言う人もいますが、基本が律令である限りは御成敗式目における主人公の「公」は武士ではなく天皇です。日本は一二七四年と一二八一年に元朝モンゴル帝国の侵攻、いわゆる元寇を受けます。それは、日本人に国家観というものを与える重要な戦いになりました。武士がいなければ天皇は守れないという、武士の重要性を初めて貴族が認識したのです。

一方、平家には「私」というものがよく表れていました。一一八〇（治承四）年の南部焼き討ちで平清盛は東大寺の大仏を消失させました。つまり清盛は、鎮護国家としての日本における東大寺の役割を知らなかったことになります。それはまた天皇家と仏教の関係の長い伝統を知らなかったということでもあるのですが、政治に長けた清盛にそうしたことが欠けていたとすればたいへん不思議なことです。

平家は桓武天皇の系統であり、清盛は厳島神社を造営しました。実はここには、平家が外来系であるということが隠れています。おそらく秦氏系だろうと私は考え、そして、こうした人々は、最終的には排外されると見ていいところがあります。厳島神社、また裏日本を含めた中国地方には国譲りの当事者だった出雲系という長い伝統があります。右大臣にまで出世しながら太宰府に左遷され天満宮に祀られた菅原道真は、土師（はじ）氏の系列です。土師氏は埴輪の製作や陵墓の造営に従事していたユダヤ系です。つまりユダヤ系ということが追放していい口実になることがあり、平家にもまたそうした要因が隠されていたと言えるでしょう。したがって平家は落人となって逃げていく、つまり追放されるのです。

東国系の神社にはすべて菊の御紋があるのに対して出雲系の神社には菊の御紋がありません。菊の御紋は実は太陽であり、東国の印であり、皇室の印です。つまり、天皇との結びつきが「公」ということです。そして「公」は、国民のために生きておられる、無私であるところの天皇を指しています。ここに秩序があり、皇室という家、国家というものを体現する一つの形があるのです。

この「公」の思想は日本だけではなく、世界の王家に共通すべきものなのですが、西欧においてはやはりそうは純粋になれないということがありました。他の国の人々との混血があり、王家間の関係があり、いつでもクーデターが起こる可能性があったのです。ところが、日本にはそれがありません。国家意識が天皇家という家と結び付いており、国民の幸福のみを考えるという役割は、天皇家意外にあり得ないという伝統が定着しているからです。

平家が没落したという事実は、平家はあくまでも「私」であり、「公」と国民の間を取り持つ存在には決してなれない一族だったということを示しています。源氏には、たとえ源氏が三代で終わっても北条がしっかりと後衛するという、初代頼朝に従うことを大事とする精神がありました。その頼朝には、天皇の将軍に過ぎないという基本があり、したがって神護寺三像の源頼朝像は「公」の高貴な顔をしているのです。

第四章

現代の問題

死の問題の不在

一九八〇年頃からもてはやされ始めたカルチュラル・スタディーズという研究方法が新たに大学で見られるようになりました。研究対象を社会学に捉えるもので、人文学のそれぞれ固有な価値を追及するのでなくが一律に論じられるようになりました。それぞれ固有な価値観を持つ学問が経済学や社会学といった面からだけで論じられました。その頃から大学は理科系だけでいいという意見も目立ってきました。

重要な価値観が失われ、社会的位置づけだけが問題になったのです。そのきっかけとなったのは階級社会の問題です。

ところで人文学、特に哲学の問題を考えてみましょう。まず「死」の問題があります。両親の死、近親者の死、そして自分の死について考えるところで人間は初めて何かしらの言葉を必要とします。そこから始まるのが精神性というものですが、それが失われました。死を語りたいという気持ちこそが精神であり、その精神が文化を作り、また宗教を作ります。このことがあって人間は成立しています。

ダンテの『神曲』（一四世紀成立）には、死後の世界はどういうものであるかということが、たとえ一つの幻想であるにしても、真に迫って書かれています。それが文学というものです。哲学は、死に際してどう考えなければいけないかということを語ります。そういったことが言葉として、そこに書かれているか、いないかでは、人間の安定の在り様が変わってきます。不安のままに死ぬのか、言葉が入ることによってなだめられるのか。そこを語るのが哲学です。

詩がなくても生きていける人はいますが、死への恐れを避けて生きていける人はいません。いつ死んでもどうということはない、というのが現代人の死に対する考え方の一つのパターンになっているようですが、それはパターンというものであって、個々においては絶対にそんなことはあり得ません。

人間にとって絶対に必要であるというのが、人文学の在り方です。先人たちがこれまでに述べてきた言葉を知ることによって、自分がどういうレベルにいるか、あるいは、どういう考え方を必要としているかが初めて分かってくる。それは、おそらくは縄文の時代から、つまり文字がない時代から皆が同じことを考えていました。その発露が芸術です。

『高天原は関東にあった――日本神話と考古学を再考する』で考察していますが、縄文土偶は奇形の誕生を語っています。共同体の、近親相姦とならざるを得ない体制については『古事記』『日本書紀』の神話部分に書かれています。今であればそれを禁じる法律がありますが、当事はそれも自然なことであって禁忌ではなく、代々続いていること、奇形も生まれるがそうでない子も生まれるということにおいて肯定されます。そしてその奇形の子の死に際して、その子の思い出、その子の姿を記憶に留めるために作られたのが縄文土偶なのです。我々が写真をそうするのと同じく、小さく作って身近なところに、あるいは身に付けて持っていたことだと思います。

そうしたことが繰り返されていくと、自立した世界つまり芸術が出てくるのです。国宝となっている「縄文のヴィーナス」と呼ばれる土偶がありますが、明らかに、現代人の鑑賞眼にも見合う芸術の姿をしています。その下には悲劇があったことでしょう。しかしそれは人間の営みとして仕方のないことなのです。

つまり、精神が表現されていなければ芸術ではありません。機械的に作ったものは芸術ではありません。装飾が芸術ではないのはそれが理由であり、デコラティブ・アート（decorative art）のアートとは技術という意味に過ぎません。

■二〇世紀以降の芸術・文化の軽率

ロシア革命があった一九一七年、フランス現代芸術の代表とされるマルセル・デュシャンがニューヨーク・アンデパンダン展覧に『泉』という作品を出品しました。陶器製の男子用小便器に自分のものではない署名を書き入れてそれを、横に置いただけのものです。これが最後の芸術である、としました。芸術性を否定するところに価値を見る、否定する芸術ということです。その後、人物であればピカソや運動であればダダイズムなど様々な芸術が生まれたように見えますが、すべて芸術の名の付くものが破壊の方向へ向かいます。何も生まないこと、破壊することがいいことだとされていきます。

そこにはカルチュアル・スタディーズの虚しい言論空間が大いに関わっています。評論家が、これが分からないような芸術は分からないといった言い方をし、それを読む若い層が、経験がないために思考停止の勘違いのままに芸術を見る、あるいは芸術の世界へ入っていきます。

言葉で縛る。今の文化はそれだけです。例えばＬＧＢＴをはじめとする性差別などと言われる問題について、これらの人々を差別してはいけない、というように言葉を用意します。当事者たちはそれなりに自己解決できるし、そうするのが自然であるのに、提言や法律を用意し、とにかくその人たちが犠牲になっているのだと言葉で不幸を固定化します。古来、使えるものは何でも使ってマイノリティを持ち上げる運動は、マイノリティがいかにマジョリティを押さえつけてその上に乗るか。そのためのユダヤ人の方法論でした。

デュシャンに始まる現代芸術の流れは、あらゆる文化は、こんなものだ、と言いたいのです。有名なスターバックス・カフェが椅子と机の他に何も置かない、がらんとした店舗が世界中で作られているのにも通じて、こういう空虚な心象風景がお前たちだ、とメッセージをおくっています。それらによって疎外感というものを生じさせ、社会がおかしいと言い、そこに慣れることを強い、それが社会だ、というふうに操作します。そこにあるのは空虚だけであり、その荒廃がいい、とされます。例えば今の日本の映画を観ていると、荒廃をいかに描写するか、そこに評価のポイントが置かれているのです。そうした作品がカンヌ映画祭あるいはベルリン映画祭の賞を取るのは、日本だけではなく、フランスもドイツも同じ文化状況だからです。

愛知県で三年おきに開催されている国際芸術祭「あいちトリエンナーレ」に二〇一九年、慰安婦像と呼ばれている少女像が出品されて問題になりました。この少女像はそもそも違う主題で着手されたものであり、アメリカの装甲車に轢(ひ)かれた二人の女の子の一人を椅子の上に座らせている形です。そのために作られたものであるならまだしも、ただ代置しただけのものであり、なぜ裸足なのか、なぜ横にもう一つ椅子があるのか、芸術家の意図も細工も全く見られない、ただ作り損なった少女像だけのものです。

こういうものが、文化庁と県庁が主催する「あいちトリエンナーレ」に出品されるのは、政治的な問題だけが目立つ、戦後の空虚な文化志向を物語るものです。こうした作業によって、疎外の激しい虚しい社会になったのは権力のせいであり権威のせいであるという方向に考えさせます。しかし、実は、お前たちこそが、まさにその空虚さではないのか、意味のない美術展を開くという権力そのものではないのか、ということです。そしてまた、権力を否定するという目的を持ちながら、権力しか支持しない思想を、助成を受け、世間にばらまいているのです。

こうした状況の発端となったのは一九一七年のデュシャンの『泉』ですが、それはまだ理解ができます。どこにでもある便器を横にすればもはやそこには機能はないし意味はないという、破壊のセンスは分かり、面白さがあります。否定の連続性というものがあり、ピカソが絵画史上で行ったことと似ています。

『アヴィニョンの娘たち』という作品がありますが、アヴィニョンの、とは言いながら五人の女性像がある。主題は意味がなく、陰影もなく遠近法もない。三次元性も否定して二次元性にただぺたっと描いています。幸いピカソは陽気な筆致で描き、その特徴だけが取り柄となっています。私はアンファンティズム（enfantism）と呼んでいますが、子供っぽく描くという方法はそれまでありませんでしたから、ピカソの場合には一応成功していると思うので、私は、その名がいいだろうと言っています。

デュシャンも、あらゆる芸術の価値を徹底して剥ぎ取りました。私は、デュシャンにはある才能があることと認めています。しかし、それは否定の才能であって、芸術の可能性ではありません。これはもう駄目だ、と思うだけです。小説についても戦後すぐに、物語性はすべて抜き取られて心象風景だけがあるヌーヴォー・ロマンがフランスを席捲し、これももう駄目だ、と思いました。二〇世紀以降の芸術は、すべてを駄目にするということを、最も安易に駄目な方法でやっているだけなのです。

社会もまた荒廃の流れの中に置かれようとしました。しかし、社会というものは、人間が生活しており、生活の伝統の中に人間はいますから、芸術のような自立的な動きにはならないのです。左翼の人々の思うような崩壊の方向には行かないのです。社会あるいは歴史、いわゆる人間の生活を壊すようなことは、できるはずはありません。芸術においては、一番安易な表現つまり人間のインテリジェンスをもって理屈をつければ、考え方が通るのです。例えば日曜画家は、描きたいから描くということを綿々と行います。これを言葉で否定するのは簡単でしょうけれども、自然に行われる創造性こそがやはり大事であり、それが歴史とうまく噛み合って時代時代の素晴らしい表現になっていくというところに本来の芸術があるわけです。

デュシャンの後で芸術表現の可能性はありません。それでいいのです。アメリカの作曲家ジョン・ケージの作品『4分33秒』のようにピアノの前に立って弾かないという行為で十分です。今は、創造などしたところで、例えばレンブラントには到底及ばない、あの練達した表現があれば現代は描かなくていい、ということを自覚すべきなのです。現代は過去の芸術が文化財として現存している時代です。日本は特にそれが顕著で、七世紀の法隆寺をはじめ七世紀以来の、あるいは前方後円墳を見れば三〜四世紀、あるいは縄文土器を見れば二〇世紀前から三〇世紀前、つまり一万年前からの芸術品があります。しかし、多くの人はそれを芸術品としては見ず、ただの過去の考古学的遺品としか見ません。そういうものを芸術として再発見するということを現代の創造と呼んでいいのです。私はそのために歴史家になりました。過去の、芸術などという観念がなくても作っていた人たちのものの素晴らしさを発見して現代に復活させる。それが今の批評家のやることだと覚悟を決めたのです。

芸術表現の可能性というものはやはり、何かの機運が生まれ、別の創造手段が出てきたときに出てくるものです。映画がそうでした。一八九五年にフランスのパリに初めて映画が登場し、見世物興行的であったものが、無声映画時代を経てトーキーとなり、一九四〇年から一九六〇年の間にたちまちに芸術になりました。とはいえ、一九七〇年代に入ると映画の芸術性は形式化していきます。今は通俗性だけが基本になっていて、テーマや表現法もかつてのものの繰り返しをしています。物語性の新しいものはほとんど出ていませんから、映画もまた、今や作らなくていい時代にあると言えるでしょう。

美術史あるいは芸術史を研究していると、天才が出るときには、一人が出てくるのではなく、集団として出てくるものだということが分かります。すると、全体のレベルが上がるということが起こり、地盤が上がってくるために二流の画家でもその時代は優れた絵を描くことができるようになります。日本にもそういうことは何度かありましたが、今後、北斎は絶対に出てこないでしょう。その時の地盤があまりにも高かったからです。私は明治以降の美術においては三人が辛うじて過去の大家と比較しうるものと見ています。富岡鉄斎と藤田嗣治(つぐはる)、棟方志功ですが、その最後の志功について述べましょう。志功には破壊はあるけれども、気韻生動があります。気韻生動つまり作品の際立った生命感は、商業的成功や名声などとは無関係に生まれるもので、やることだけを必然的にやっているという人の作品にしか現れません。絵で食っていこう、宣伝の絵を描いて儲けよう、というような人は装飾美術家と呼べるかもしれませんが芸術家とは呼べず、上手下手の違いはあっても誰にでもできることをやっている、いつの時代にもいる人たちです。

金融資本の考え方

マルクス主義は、労働者あるいは農民という階級を考え、その階級を善と見て、他の人々を否定し暴力革命を行うことを正義の戦争と見ています。実は彼らは一つの職種の人々であり、それぞれの問題を抱えて生きている。彼らは階級の徒ではありません。問題は並列して存在しているわけですから、社会というものは役割分担です。それを階級という見方で見るために、常にマルクス主義は間違ってしまいます。

マルクス主義においては階級の存在を絶対として闘争が行われていると思っているために、常に下の層が「善」とされます。立ち上がるべき上下関係として単純化されるわけです。そして、貧しい人たちや哀れな人たちは、救われなければいけないという情報戦が繰り広げられ、闘争を起こさせますが、ユダヤ人は闘争の当事者双方に出資するという方法で利益を得ます。

しかし、これは決して悪いことであるとはいえません。貧しい人あるいは哀れな人と呼ばれる人々の賃金を上げることによって社会が安定するということもあり得ます。ユダヤ人はユダヤ人なりのすべき仕事があり、ここにはある意味での調和社会があるはずです。マルクス主義には、そうした方法が、ユダヤ人の社会支配に有利になるだろうという考え方がありました。

日本を見てみると、秦氏には資金力があり、神社仏閣の建造を支援しました。古来、日本にあったのは自然のものだけに対する崇拝でしたが、建物によって形式化していきます。それによって、続く、という状況が生まれます。ただただ山を拝んでいるだけだったところを、例えば大神神社という神社が造られることによって、宮司という職種が生まれ、今に続いているわけです。伝統として大神神社を礼拝する習慣が残り、また、宣伝ということも行われます。つまり、資金を出す秦氏というユダヤ系の渡来人は、その地その地の住民と調和していくのです。

ヨーロッパのルネッサンス文化には、メディチ家が援助していたことが重要です。メディチ家は銀行家ですから、明らかにユダヤ人と思われます。メディチ家は宮殿の建造を資金援助したり、ミケランジェロなどの芸術家の環境づくりを助けたりしました。それは、日本で秦氏が神社や寺社の建造を支援したことに似ています。日本の文化に豊富な資金を出したことと同じです。

一般的な国家運営においては、政府は必要限度の税金しか取れません。それは、必要限度のことにしか予算は出せないということと同義です。余計な金はありませんから、本来なら戦争もできないし、豪華な宮殿も建てることはできません。しかしそこに、国家を持たない金融資本家がいるとすれば、戦争や文化に資金は投資することがあるのです。神社を建てる、教会を建てる、現代であれば劇場を建てる、博物館を建てるといった文化事業が必要です。それが観光資源となってさらに利益が生まれる可能性も十分にあります。そうしたことに注ぐべき余計な金というものを、ユダヤ人たちは寄付したり、後援したりしてきます。時には戦争あるいはテロリズムに注ぎ込んできたのです。ディアスポラとして今いる国の国民のために、あるいは土地の領主のために、文化に金を出すことで、自らの名声もまた利益も上がることをしてきたのです。

今、ハリウッドの映画界を牛耳っているのはユダヤ人たちです。しかし、同時にテロリズムに金を出し、BLMをはじめとするデモ運動があれば、金を出すのも彼らだ、という人がいます。フランクフルト学派の、破壊でいいのだ、という理論に則っているからです。結局は文化破壊の宣伝をしているのも、左翼ユダヤ人たちですから。

そちらの方向に極端に流れすぎているところが問題なのです。例えばドイツのナチズムを極端に悪者にしてしまったことによって、今、ドイツの文化は非常に衰退しています。フランクフルト学派の草分けであるホルクハイマーにしてもアドルノにしてもドイツ人系ユダヤ人です。ドイツの文化を助けなければならなかったはずであり、結局はアメリカに亡命するものの、だからこそドイツにいられる、ということであったはずです。そうでなければ、イスラエルに帰れということを言わざるを得ません。しかし、イスラエルがあるにもかかわらず、帰るユダヤ人はあまりいません。未だにパレスチナとの間に抗争があり、危険だからです。したがって一般のユダヤ人は、安定した国家に帰化していた方がいいということになり、特にアメリカに多く住んでいます。

住んでいる国あるいは住んでいる場所に貢献するということで初めて、人からの尊敬と人との融和が生まれます。日本の秦氏はそれを果たした好例です。現在、世界の金融資本を握るユダヤ人たちの、ある意味では本当の理想が日本にあったと言うことができると思います。

ナショナリズムとは

マルクス主義は労働者階級の貧困を絶対化します。労働者という階級が普遍的にあり、そのために普遍的な貧困がある、とするのです。しかしここで言う貧困は恒常的なものではありません。時々の不作や凶作によって窮乏状態が起こりますが、常に存在する労働者階級としての貧困問題は歴史に見ることはできません。こうした階級の絶対化は、現代のマルクス主義には主張されなくなり、サラリーマン化した資本主義社会では、「隔差社会」という言葉を使うようになりました。しかし同じことです。

私は端的に、こうしたマルクスの考え方を受け入れるべきではない、と考えています。特に、日本の状況がどういうことなのかをまず踏まえるべきであり、各国ともにそれぞれ違うのが実際です。マルクスの言葉を普遍的な状況として誤解するのは問題です。絶対的なものとして思考停止して受け入れるのではなく、それぞれの国家個々の歴史や伝統に照らし合わせて理解すること、それが、文化的理解、というものです。自国を主張する、ということよりも、それぞれの文化の違いを考えてその国を理解する、ということです。そこには、ナショナルの基盤として、言語、文化、伝統を考え、歴史、経済、社会を考える姿勢が必要です。

近代国家とはどういうものか、という議論が起きた時、アメリカのユダヤ系政治学者ベネディクト・アンダーソンらが、契約国家の概念を与えました。国家には長い伝統あるいは文化というものが人々の中に存在することを忘れさせ、それらは国家の概念からは外れるものとしました。ユダヤ人はそもそもディアスポラであるために、最初から国家を前提としません。国家など存在しない、あるいは存在する必要はないという考え方が基本にあり、そこから分析すれば、国家は契約で成立しているということになり、こうした理論があたかも正しい理論であるとして近代では受け入れられました。しかしその考え方はユダヤ人の思う壺なのです。

■グローバリズムの問題

戦後、国際的という言葉がもてはやされるようになりました。グローバリズムはその延長です。日本人は国際的ではないとか、ナショナリズムは偏見であり、国連に就職するようなインターナショナルな人間、コスモポリタンとなることを目指すべきだというプロパガンダが展開されてきました。

私などはどう見てもグローバリズムの中にある人間です。三、四カ国に留学し、毎年外国に出掛けて学会に出席しています。しかし、精神、それも成人するまで育ったところで得たアイデンティティは変わりません。様々な外国の知識をいくら得たところで、変わらない部分の方がはるかに大きい。そう簡単にはキリスト教徒にもイスラム教徒にもマルキストにもなれません。西欧の思考形態が普遍的だなどというのは、そう思わされているだけで、決してそうではないということが分かってくるからです。グローバルであればあるほどナショナリズムが必要となり、そこを大事にしなければ身動きが取れなくなるのは、私に限ったことではなく、日本人全体に言えることでしょう。

とはいえ好奇心は必要であり、いろいろなものを外国から得たいということも、ある意味でナショナリズムです。日本を豊かにしたいという意味で日本人は明治以降、西欧から様々なものを取り入れては信じ込んできました。しかし、それもそろそろ、信じ込むという部分は止めにしようということです。

二〇一〇年頃を境に日本は経済大国第二位の地位を失いました。その時の失望の念はかなり大きかったような気がしますが、日本を追い抜いたとされる中国の実態を見れば、たいした問題ではないということが普通は分かるはずです。別に順位を上げる必要もなく、第一位のアメリカも中国も、その実態を見れば、精神的な安定度や文化の在り様、治安の良さは日本に到底及びません。長期のデフレに苦しみ、アベノミクスも失敗して日本経済は停滞しているなどということが盛んに言われますが、日本ほど安定している国はありません。貧乏は、当然、犯罪を増加させます。今や韓国よりも経済は低迷しているとも言われますが、日本が韓国ほどに犯罪率が高くなったかと言えばそんなことはありません。

ナショナリズムは、価値観を数字に変換して並べ、他の国と比較するようなものでもありません。中国共産党などは平気で数字を偽装してもいます。中央政府が許可した数字しか出てこない共産主義のシステムは特に何の信用も置けません。

ユダヤ人の著す人間史

日本では二〇一六年に刊行されましたが、ユヴァル・ノア・ハラリ（一九七六年生まれのイスラエルの歴史学者）が書いた『サピエンス全史』（柴田裕之・訳、河出書房新社）という本が話題になりました。ハラリは、結局は金が人間を動かすということをそのままに述べている学者です。貨幣はすべて幻想だけれども、その幻想を固定化して人々は生きることができている、としています。

金には代えがたいものがあるのだということもいろいろと言ってはいますが、結局は無視されています。サピエンスつまり英知が幻想を生む、その発展史が人間の歴史であるということなのですが、私は、それはおかしいだろう、と考えています。

基本的に人間は、見る、聞く、あるいは直接接することができる範囲で成長します。したがって、初見で紙幣の束を、これは金である、と分かる人はいません。働くということがあり、心の充実がありさえすれば金は二の次だというところが人間にはやはりあるのです。金を得ることが充実に繋がるという仮定がなされていますが、必ずしもそうとは言えません。人間は職業を選択する時、自分に許される環境の中で、できるかぎり精神にとって本当にやりたいこと、一生続けられるものを選んでいるはずです。

ユダヤ人は、今はマルクス教になったとしても、基本的には一神教の否定から始まっています。すべては言葉から生まれる神を否定するようになっています。しかしもともと神が自然を創ったとしており、しかも誰もその神を感じたことはありません。近代は、その嘘を見破るということを科学が行ったとしていますが、逆に科学信仰というものを生みました。しかし、未だに細胞一つ作れずにいるわけであり、その人間の無力さというものを一番知っているのはやはりもともと一神の神を信じない日本人であろうと思います。

日本は貨幣というものを信用しませんでした。七世紀に秦氏が群馬で純銅を発見します。秦氏は藤原氏に働きかけ、それで和同開珎という貨幣ができます。しかし、和同開珎は結局運用されませんでした。貨幣で税の徴収を行う計画でしたから、一定量の貨幣を使う人は貴族とするなど、政府は懸命に宣伝しましたが、流通しません。貨幣は流通しなければ意味がなく、死蔵されたまま一〇〇〇年ほどが経ってしまいます。しかし商品流通、ならびに産業行為は歴然と行われており、そこで何が交換手段として使われていたか、つまり貨幣的な機能を何が果たしていたかというと、「米」です。米一貫が一家族が一年暮らせる目安で、そういう単位が働くことの結晶であり交換価値だと実感していきました。徳川家康の政策として江戸時代から貨幣が全国流通するわけですが、日本の場合には労働は金を稼ぐためではなく、まずは自己実現のためにあるのだ、ということは自明です。

売買されるものすべては、自然から生まれてくるものです。土地を必要とし、そこに住む人間を必要とします。言葉を使い、自然とは離れた存在、人工的なものによって左右されるという幻想をユダヤ人たちは作り出しました。彼らには国が存在しない状態（ディアスポラ）が長く続きました。始終、金を持って逃げ続けるのです。であれば、金はインターナショナルに使えなければいけないものであるということになり、今はドルがその位置に据えられています。このユダヤ人的な発想が世界を支配してしまったのはやはり彼らの商業的な才能によるものです。現在の、世界中で物が動くという状態は、ユダヤ人なしでは考えられなくなってしまっています。

■国家の再認識

戦後の日本は人国家という言葉を無視するようになりました。少なくとも大学知識人は押し並べて嫌っています。マルクス主義が国家を嫌うからです。さらに言えば、左翼ユダヤ人が、ユダヤ人は元々国家を持たなかったことを前提として隠然と行う、近代はユダヤ人中心の社会である、という主張に同調しています。

日本は島国であるという幸運によって、「日本」という空間が言葉でイメージされたのです。というのも最初から自立国家であり、そこに住む人たちは同じ言葉を使い、同じ習慣で生きられたのです。そして北海道から沖縄まで、多少違っても、だいたい同じ生き方をする人たちが暮らすことができました。国家概念が言葉として用意されていなくても、列島が一つの共同体である、つまり国であるという意識が根付いています。このことは重要なことです。

ユダヤ人たちは自分の国がないために他国に入り込み、最初からその国をグローバリズム的思考で考えます。国家の特色、あるいは固有性というものを無視して、普遍的な共同体として編成することを推進しました。それが最終的にEU(European Union、欧州連合)のような、国家共同体に転化します。ところが、二〇二〇年、イギリスがEUから離脱することになります。それぞれの国の特殊性が露呈してきて、共同体でいられない、という傾向が出てきたわけです。ユダヤ人の歴史観においては、国家は抽象的な幻想であって、どんな人間がいても成立すると考えます。したがって移民は限りなく受け入れていいのだということになりますが、各国は、フランスにしてもドイツにしても、大量の移民に国家のアイデンティティを崩され、非常に混乱せざるを得なくなります。

日本は、縄文時代、ほとんど戦争をしておらず、したがって国の分裂もなく、あらかじめ地域国家ができ上がっていたと考えられます。「家」の字が付いているのが大事なところで、そこには、皆が知り合いである、あるいは何かしらの血縁関係がある、という家族意識があります。実際にDNAが似かよっており、他民族が入ってくると、彼らも、そのDNAに染まることになります。日本は同化させる能力に長けているのです。また、日本は自然というものに価値を置き、それに超越する神を信じません。一神教であるところに他の一神教が同化するわけにはいかない西欧とは大きく異なっています。日本の自然は豊かであり、入ってくる他民族を、その享受を受け、積極的に同化するのです。

西洋では、キリスト教が教えているように、人間は神に導かれていると思い込み、自然を支配するのだという意識を持とうとします。私は美術史家としてミケランジェロを研究していますが、神は人間を神に似せて作ったという物語を描いたミケランジェロにそのイメージを託しました。絵画というものは、宗教を具体的なイメージで人々に語る重要な伝達方法です。ユダヤ人の宗教を、ゲルマン民族が取り入れ、理解するための最高の手段だったのです。同時に、それを文化的な価値に変えた、という側面があります。ギリシャ＝ヨーロッパ人の伝統の中で作り上げられてきた人々にユダヤ人の宗教観をミケランジェロは体現しているのです。それがシスティナ礼拝堂の絵画です。ヨーロッパのゲルマン民族は、元々は日本人と似て自然信仰でした。それをキリスト教が変えたのです。自然の中で生き、土着の文化を持ち、共同体の意識、つまり家ないし同部族の意識を持っていました。

グローバリズム、インターナショナリズム、あるいはユニバーサリズムという思想を作ったのはユダヤ人です。分散するユダヤ人の特殊性がその思想を作らせたのですが、それが普通化され、共同体概念を作ったのです。国家観を欠いた言論は、つまりユダヤ的言論である、ということです。特に一九世紀以降、ユダヤ的言論は、言葉だけで広まっていきました。しかし、真の現実はそれと乖離（かいり）しています。特に日本は天皇がおられ、相変わらず同じ伝統を保持し続けました。国家のアイデンティティを日本人はちゃんと持ち続けたのです。ユダヤ人の国家観の欠如とは、国家がそうして存在しているにもかかわらず、それが古臭いものあるいは封建的なもの、結局は否定すべきものとして考えるように世界の人々に仕向けたのです。国家という言葉を思い出さないようにするだけで現実には存在し続けたのです。これは全くの偽善です。国家がなければ、社会などは成り立たないということを知っているのにそれを語らない。語らないことで、存在しないことにしているだけのことです。彼らの思想言葉だけのものであったということです。

ユダヤ的言論を非ユダヤ人が真似をする必要はありません。ところが、ユダヤ人の言論は強く、あらゆる大学組織、あるいはジャーナリズムが、彼らの言論で占められました。「変革」を言葉だけで酔ってしまった。それが「近代」思想だったのです。しかし、それが世界の言論及び文化のすべてを支配しているかと言えば、本当ではありません。各国の人々は、それぞれの共同体、それぞれの家庭の中に自らの伝統を保存しているのであり、破壊されているわけではありません。アメリカにおいても、各国から来ている人々のそれぞれの共同体、そして家族というものがあります。

我々日本人はユダヤの知識人たちにそのように語りかける必要があります。

多文化主義の問題

一つの国の中に異質なものが常に存在することによって分裂し、二つあるいは三つ、それ以上の対立項が存在する状態を当然と考えることを多文化主義国家と言います。この多文化主義がグローバリズムの代名詞となり、あたかも成立し得ると思われているからこそ、多様性ダイヴァーシティという言葉で理想化しているのが今の左翼の思想状況です。

ところが、それはできるかぎり少ないほうがいい。なぜなら、他民族がその国に同化する率がどんどん低くなっていくからです。同化によって、多様性、多文化は対立的ではなくなっていくものです。他国文化は様々な意味で自国文化に刺激を与えて自国文化が活性化する要素になり得ますが、他国文化があまりにも対立すれば独立性を保ってしまい、共存が不可能となります。それが争い、あるいはテロリズムを生む要因となるわけです。例えば共産党が支配する中国が破綻し始め、経済的にも成り立たなくなるなら、共存どころかすべてが破壊される可能性も出てくるということです。

安定性があるからこそ、多文化を取り入れることができます。日本はそれをはるか古代からやってきた国です。縄文の時代の農耕社会あるいは狩猟社会、採集社会、漁労社会といったものが一つのところに一緒にあって共存し、その労働の安定性が後の他民族の移入と同化を実現していきます。日本はかねてから多文化主義の国だったと言うこともできるでしょう。豊かな自然環境が、恒常的であったからこそそれが可能であったのです。安定性の中にこそ、他民族の文化の花が咲くという時代も到来しました。

西欧においても、一五、一六世紀くらいまでは日本のような在り方が可能でした。それ以降、ユダヤ的なグローバリズムが信奉されるようになって文化は薄まっていきます。特に二〇世紀はとんでもない時代となりました。華々しい印象とは異なり、アメリカの二〇世紀はソ連と同じほど文化において何も見るべきものがありません。アメリカニズムとは何かといった確固としたものが何もない、ということです。自分たちが何者であるかをあえて分からなくしてしまい、それをグローバリズムや多様性、多文化主義といった言葉で肯定しているわけですが、ここで使われている多様性（ダイヴァーシティ）といった言葉には、それ自体、文化を生まないという意味があるのです。

そうした状態を肯定すると同時に、排外視するかあるいは同化吸収の政策をとるかですがインテリ層は対立を煽るわけです。国家が虚構であるということを徹底させるために、多文化主義を利用し、文化喪失を進めようということです。国が文化を喪失するというのはそういうことなのです。

もはや低く見られている場合ではない日本

日本人には、その内容は理解できないのに、欧米人が何を言っているか、ということだけには注目するという癖があるようです。欧米は、政治的な希望的観測からも、戦後は敗戦国日本の文化などを否定する方向に舵をきってきました。日本の文化の本質を理解しようとせず、政治的イデオロギーで変えようとしてきたのです。非常に大まかな言い方で日本の文化を低く見ようとしてきました。周辺の中国や朝鮮も同じようにしてきました。

そうした状況は今でも続いていますが、二つの社会主義の凋落によって、イデオロギー操作が可能になり、現代において転換を迫られており、社会主義と異なる方向を模索しています。

二〇一六(平成二八)年に文化庁主催でイタリアのローマで「日本仏像展」が開催されました。私もローマで講演を行いましたが、非常に多くの来場者を集めました。世界中をツアーして当然といえる企画展でしたが、アメリカに仏像の評価が浸透していないという理由で開催はイタリアだけに留まりました。ユダヤ的な歴史観がそうさせたわけですが、そういうことも今、少しずつ変わってきています。

私自身は最初から、日本美術は世界的作品をも凌ぐもので、それを世界に伝えなければならない、という考えをもって、『日本美術全史—世界から見た名作の系譜』、『天平のミケランジェロ—公麻呂と芸術都市・奈良』(弓立社、一九九五年)、『天平に華咲く「古典文化」続「やまとごころ」とは何か』(ミネルヴァ書房、二〇一六年)といった本を書いてきました。書くべきことは右記した書で書き、今ようやくそれが受け入れるような状況になってきたという感じがしています。

特に天平時代の日本はまさに芸術国家だった、というのは、その時代の舞台である奈良は山に囲まれる環境にあり、日本の源流はやはり縄文にあると考えているからです。縄文は関東及び東北の歴史であり、日高見国の歴史です。日本列島は世界にとって、フランス語で言うところのル・ソレイユ・ルバン(le soleil levant)、日の昇る地でした。人々は太陽を目指して移動し、その行き着くところが日本でした。

ユダヤ人にとってもそれは変わらず、旧約聖書にも東を目指すという原則があり、今で言えば日本ブームをユダヤのメディアが盛んに行っているということもあり、日本への憧れは、砂漠の国では考えられない豊かさが日本の自然の中にあるということに直結しています。食べることに心配がない、生きることが万全だということであれば、生活のための土器に、美しく作るという意思を込めることができます。ある時までは装飾に過ぎなかったその美への意志が、その次には美というもの自体を追求し始めます。縄文土器に施された水も蛇も紐も、形態の意味などは超えて全体の美しさへの追求が始まるわけです。ここにあるのは、美というものを自立的に考える能力です。

日本には芸術を作る理想的な状況があったと言えるでしょう。したがって、日本人なら誰もが作る、のです。『万葉集』を見れば、明らかに誰もが歌を作っていたことが分かります。世界的に見て非常に稀な状況です。『万葉集』が今に伝えられているということは、そうした状況を見事に開花させたということです。

ただし、日本人は形象を追求し、目に見える形を信用します。『万葉集』は言葉の作品ですが、短いのは、言葉以上の世界をこめようとするからです。縄文土器も含めて、形で伝えようとするのが日本の伝統であり、発見されているものだけで二〇万という古墳もまた美しさというもの、構築物に美的な形を追求したものです。

戦後から始まって現代においてはさらに、芸術は廃墟化しています。あの「あいちトリエンナーレ」のように、すべての作品が左翼的政治プロパガンダの物体になっています。この廃墟化は、共産中国の各地に現出している高層ビルの廃墟化とも通じるものです。需要と供給のバランスで成立つ経済を無視した共産主義経済の末路を示しています。

現代では芸術は私的なものであり、国家あるいは権力とは関係のない自由なものだとされていま す。そのために、現代人は大きな物語を描くことができなくなりました。我々がどのように生きていくのか、公共の人間の生き方とは何かということもまた大きな課題です。それがなければ国家の安全保障ということもなく、戦争もまた考えることができません。身近なところでは、犯罪も取り締まることはできないのです。今の世界は、共産中国にも通じる左翼的な思想によってそうした道理が縮こまり、すべては自分の中の個人だけの問題であるという錯覚に覆われています。

人間は、日常生活という小情況で生きているわけですけれども、歴史を受けつぐ大情況を知りたいという気持ちを誰しもが持っています。そこに国家、未来あるいは世界といった問題が出てきます。大きなものを見なければ、自分の存在が何かという疑問に相対することはできません。それに答えてくれるのが歴史の存在です。政治世界でもそこに歴史が加わると、大きな視野をもたらすことになります。歴史とは、全体を見る、つまり大情況を見る視野を広げるのです。

総合的知識が、いかがわしい言葉として使われなくなりました。しかし知識の大きさ、深さを知るということは大切なことです。深くものを見るということは人間の本性の一つなのです。そして、今も皆、総合的にものを見ようとしているはずであり、それに気が付かないのであれば、それはマルキストによって経済だけの視野に限ろうとする無駄な試みによるものです。

経済だけの追求は人間を荒廃させます。マルクスの唯物論という理論は二〇世紀を風靡しました。しかし、現在は唯物論による、精神性の否定によって道徳が崩れ、人々が誠実さを失うようになりました。宗教が否定され即成の宗教が衰退すると、妙な新興宗教団体が増えてきます。現在は宗教の復活、精神性の復活が求められています。神道は共同宗教として日本人全体にとって必要な、自然信仰、御霊信仰、皇祖霊信仰の復活を求めています。また仏教のあらたな復興も必要です。

仏教は個人宗教だと私は言っています。それに対する反論は、東大寺の華厳経や、今光明経（四天王などの天善神の加護があるとする経典）などは、仁王経、法華経などとともに、国家鎮護の宗派ではないか、ということです。無論、これらは、奈良の大仏の建立の時代に、聖武天皇をはじめ信仰されていました。

しかし仏教の説く国家は、必ずしも日本の風土に根付いた国家観ではありません。インドで生まれた仏教の説く国家は、観念上の国家で、個人の悟りを開き、個人の煩悩を癒すことを目的とする釈迦の教えに付随するものです。仏教で日本全体が語られることはないわけです。そこに神道の重要性があります。神道は言葉を語らず像さえ作らず、村に暮らし、神社に行き、山へ行き、森あるいは林に行くことが信仰となっています。六世紀、蘇我氏と物部氏の間に崇仏論争という争いがあったとされていますが、これは仏教か神道かという二択の争いではなく、神道という共同宗教に仏教という個人宗教を重ねていくという極めて高度な精神的作業でした。

十七条憲法の現代意義

現行の日本国憲法は憲法と呼ぶべきものではありません。ＧＨＱの占領下で付けられた名称ですから仕方がありませんが、コンスティチューション（constitution）という言葉の訳として憲法という言葉が果たして合っているのかということです。

もちろん世界の共通認識として国際政治における用語としてはそういうことなのでしょうが、人間の組織というのはもっと情感的なものです。感情が存在することが、まずは組織の基です。西洋的は、そこにある感情的なものは度外視します。つまり法律というものそうしたことを超えたものだということなのですが、少なくとも組織を作るという作業は人間が行うものです。

聖徳太子の十七条憲法は、感情の機微をしっかりと語っています。皆が思うような感情が書き含められており、その後の日本の基になっているわけですから、やはりこれが憲法というものでしょう。例えば第五条には、役人は賄賂を取るな、と書かれています。こういうことは普通、憲法というものには書かれないのが普通で、刑法で定めるのですが、その前の原理として、道徳、モラルというもので賄賂を取ろうとする人間を救おうとしています。

十七条憲法とよく比べられるのがモーセの十戒です。しかし、モーセの十戒は禁止事項が並んでいるだけであり、十七条憲法とは全く違います。十七条憲法は、人を殺すなといったことはすでに前提としており、その前提の上に立った人間の共同体の陥りがちな悪を理解するところから始まっています。作られた段階での文化の高さが十七条憲法にはあります。すでに前提というものはあり、法律などはその時に応じて作ればいい、というのが日本の文化の高さです。

西洋の近代においては、資本主義社会の基本となる大きな枠組みとそれに対応する刑法というものが細かく作られました。経済犯罪が資本主義社会においては最も重罪となりますが、殺すなということではない、そうした罪においても、抑制するのはあくまでも道徳であろうと私は思います。

仏像を代表として、日本の芸術は表現の中に道徳そのものを含んできました。かつて日本人は、それを見て皆が美しいと思い、憧れを抱きました。しかし今はそれを見る目を失っています。言葉が絶対であるとされ、視覚的なものの感受性が鈍ったのです。視覚的なものがそこにあっても、言葉の説明が付いていなければ通り過ぎてしまいます。日本人は元来、言葉よりも形象を見ることの方にはるかに信用を置いていました。現代人がマンガのようなイメージを好むのはその名残です。人間は本来、マンガが好きなのです。

お寺があれば必ず仏像がある。それが日本の主たる在り様です。それは同時に、仏を読み取れなければお寺に行った意味がないということでもあります。感受性を磨くというのは、言葉で表せという妙な当為が文化を歪めているのだというところに気づくところから始まります。

あとがき

故・安倍晋三首相と私

この本の題名には「戦後レジーム」という言葉があります。まるで、故・安倍晋三首相の言葉を私がそのまま取ったように聞こえるでしょう。

この本は、友人である岡島実弁護士が、私に「戦後レジームの脱却」について、「質問形式で問いたい」という希望から生まれました。そのときのタイトルを本の題名に使うことにしたのです。

少し解説をしますと「戦後レジーム」という名称は、故・安倍氏が第一次内閣期（二〇〇六年九月〜〇七年九月）に、「戦後レジーム」を「憲法を頂点とした、行政システム、教育、経済、雇用、国と地方の関係、外交・安全保障などの基本的枠組み」と定義したことによっています。憲法を重視する岡島氏も、彼の「戦後レジームからの脱却」に深い関心を持たれたに違いありません。

左翼的な憲法論議の中では、故・安倍氏は、アメリカに追随したグローバリストのように扱われています。

アメリカ・グローバリストは、左翼民主党のそれで、軍産資本を背景にした、共産中国を裏で支持する立場を取っています。中国の人権問題などは、どこかに消えてしまっており、左翼偏向グローバリスムなのです。

これは故・安倍氏の考え方ではありません。アベノミクスが目指すのは、日本のナショナリスムを基本にした、大胆な金融緩和、機動的な財政出動、民間投資を喚起する成長戦略を三本の矢と称した一連の経済対策でした。これは、反共産主義の日米関係を基軸にする健全な資本主義社会を目指す姿勢があり、後にトランプ大統領のアメリカ第一主義の先駆となりました。ジャパン・ファーストの意識が根本にあるのです。

長年、憲法擁護の司法界で生きて来られた岡島氏は、こうした安倍さんを支持する反グローバリズムの立場に立つ戦後観の私に、保守の言論を聞こうと、インタヴューをしたいと提案されてきたのです。

氏は、拙著『戦後日本を狂わせたOSS「日本計画」』(二〇一一年)などを読み、私の政治的な分野での発言を踏まえて、そこに新たな日本の現代思想を汲み取ろうとされました。私は、快く、その申し出に応じました。私の考え方が、現実の司法界で、一方的な憲法擁護の砦を崩す、戦後論になるかもしれないと期待したからです。

私が幼いころ原爆を長崎で体験した、ということや、アメリカ軍の戦後占領がどのようなものであったか、安保闘争がどんなものであったか、そしてOSS日本計画の発見、フランクフルト学派の戦後思想検討など、独自な切り口で戦後を取り組んできた私にとって、氏の真摯なご質問の態度は、傾聴するに値するものでした。

日本国史学会で歴史研究を発表していた合間の、二〇一九年から二〇年に六回に渡って、主題にふさわしい場所でとして、庭園やホテルの一室を借りてインタビューをされました。氏は、私が自宅で主宰する「史・思の会＝獅子の会」や学者有志の日本國史學会にも出席され、弁護士としては珍しい自由な発想をお持ちでした。そして私との対話から、保守の法律の論理を考えようとされました。これを、ダイレクト出版にお願いして、動画として一緒にＹｏｕＴｕｂｅで発表されています。

また本としても、出版する計画が持ち上がりました。しかし双方の発言で、千枚以上の大部な本となり、岡島氏の法学的な発想が、必ずしも私の真意を十分に反映されていないのではないかという出版社の意向もあって、氏の了解を得て、この本では私の発言を中心に、その思想と歴史観を、エッセイ風に新たにまとめ直しました。

そのまとめ直しの作業は、信頼できる旧知のライターとして、尾崎克之氏にお願いしました。無論、その稿には全面的に手を入れることになりました。

現在、元安倍首相がいう「戦後レジームの克服」は、決して実現されているとは思っていません。まさに、安倍氏はその中途で倒れたのです。しかし、その克服のための思想的な営みは、この本で自ずと掲出されているはずです。故・安倍氏の意図は、この本によって思想的に実現されている、と私は考えています。これが私の安倍氏に対するオマージュとも思っております。

故・安倍氏は、政治家には珍しく、一定の戦後観を持っていた保守の政治家と思っています。彼のいうグローバル化は、あくまで米国の民主党政権が、左翼ユダヤ人金融資本家たちの意向に沿って、共産主義国家と妥協するのではなく、世界を牛耳ろうとした彼らと対決する経済政策であったと考えられます。

私は安倍氏の「美しい国」という国家像を好んでいます。なぜなら日本が世界で最も「美しい国」だからです。戦後の左翼の「批判理論」からは、このような言葉は一切出ません。それは《「活力とチャンスと優しさに満ちあふれ、自律の精神を大事にする、世界に開かれた、「美しい国、日本」》と定義されていますが、「美しい」という意味が書かれていません。しかし日本は自ずと「美しい」のです。それは安倍氏が支援された「新しい歴史教科書」の運動の中で、私の書いた『国民の芸術』（産経新聞社）で、具体的な内容を書きました。故・安倍氏もこれをご存じのはずです。

私はこの教科書をつくる会の会長でしたから、故・安倍氏の貢献を知っています。歴史教科書と産経新聞を結びつけて運動にしたのも、安倍さんだったと聞いています。つくる会の運動で、氏と何度か同席したのも、よく覚えています。教科書問題で安倍さんが、教育再生機構の育鵬社の教科書を支持してくださり、それで7・8％まで採択率が上ったのも、安倍首相の時代でした。

個人的なことですが、イタリアで日本仏像展を開く際に、文化庁が渋ったり、時の文化庁官がなぜか、私のような民間からこの開催が計画され、持ちかけられたことに反発したのか、実行が遅滞してしまいました。そんな時、この事業の実現を促進してくださったのが安倍首相だったのです。二〇一六年夏に開かれたローマ・キリナーレ宮美術館で「日本仏像展」のカタログの序文は、安倍首相が書かれています。

その時に俳優の故・津川雅彦さんが友人として具体的に援助してくれました。ちょうど文化庁の顧問という形で国際的に日本の文化を世界に伝えようと、推進委員会を組織され、津川さんが会長になっておられました。

二〇一八年にフランスで「ジャポニスム」の大展覧会の企画がなされ、大成功をおさめました。私もパリの日本文化会館で、ジャポニスムの講演会をいたし、観衆も満員だったのを思い出します。この一連の文化行事は、まさに安倍首相の「美しい国、日本」の実現の一端だったのです。政治・経済面から、安倍首相を評価するだけではいけません。

このローマにおける日本仏像展は、芸術作品としての仏像という概念で海外で開かれた最初のものでした。それは、芸術大国イタリアで行った意義が大きかったのです。安倍氏のカタログに寄せた序文にもそのことが書かれています。

展示作品はまだまだ不十分でしたが、非常に大きな衝撃を与え、イタリア側としても、それ以後は芸術大国日本というイメージを持ち始めています。そして、イタリアと日本が芸術でつなげようという活動が始まった、と言っていいでしょう。

フランスにおいて、ジャポニズム展や日本芸術の展覧会を連続的にやろうということで施行されたわけですが、それこそ、安倍首相、そしてその後援会長であった津川雅彦さんらの意思であったわけです。

このような政治の文化貢献について、安倍氏と直接話し合ったことがありました。彼が第一次安倍内閣の後で、休養していた時に、私の教えていたＮＨＫのカルチャーセンターの友人と一緒に議員会館でお会いしました。

日本は、文化大国だから、とにかく文化省を作らないといけないと言ったところ、「そうに違いない」と言われていました。それを覚えておいてくださったのか、後に津川さんを通じて、内閣官房副長官との会食の席を作ってくださり、津川さん共々、文化省の設立の可能性を議論しました。

これほど豊かな日本文化を、小さな省庁である低予算の文化庁に委ねず、各省にある文化関係の部署を統一して、文化省をつくる、少なくともフランスのような大きな位置づけで再編成すべきだと、議論をしたのを覚えています。しかしその副長官が、通産省上がりだったので、話は進展しませんでした。文化省なんて新しい省なんて削減傾向にある現代、作ることはできない、そのような意見で、結果的に議論は止まってしまいました。

二〇一五年八月、イタリア首相が日本にやってきた時、首相官邸に津川さん他二、三の方々と招かれ、同じテーブルで安倍総理夫妻、レンツイ首相夫妻と歓談したことを思い出します。その時も、日本の仏像展の話と同時に、日本文化の豊かさを語りあい、まさに「美しい日本」についてイタリアと比較して議論したのです。左翼ではありましたが、レンツイ首相も、フィレンツエ大学出身ということで、かなり話が合いました。若くして首相になられ、私がフィレンツエにいたときはまだ生まれていなかったので笑いあった、ことを覚えています。

このレンツイ首相も加わったG７主要七か国首脳会議が伊勢神宮を舞台に行われたことは、その一端が表れています。このことは別のところで述べたので繰り返しませんが、日本が神道によって成り立っていることを改めて、内外に知らせる貴重な機会になりました。安倍首相が幾度か、靖国神社にも参拝されていることも含めて歴代の首相の中でも、最も、日本の歴史文化について、認識があることは周知のことと思います。

これも別のところで書いたことがあるのですが、現在の上皇陛下が、厳かに執り行われた天皇在位三十周年の記念式典に招かれた際の安倍首相の姿を見て、悟ったことがあります。

私はそれまで「国体」という意味を捉えかねていました。しかしこの招待で、日本の「国体」というものが何であるか実見することが出来たからです。それは機関ではなく、天皇皇后を中心とし首相がその横でたち働く、家族のような共同体のことでした。

壇上の中央に「お言葉」をされる天皇、それを助けられる皇后、右に安倍首相と菅官房長官、そして行政・司法に携わる人々、左に衆参議会議長、最高裁など「立法」関係、国民の代表とされる人々がいました。そして聴衆者の側に三権を支える公務員、防衛省を含めた各官庁の方々が座っていました。

そして地方行政、議会の方々、その後ろに主な民間企業の代表者たち、そして私の席は大学・教育関係の方々の二階の最前列でした。光栄にも、その中央の席で、右側に官学の大学の総長（代理）、左側も私学の学長がおられました。私は二人の中に官学の老齢の学者として坐り、なぜか学界の中心のような位置であったことを、官房人事課への安倍首相の心遣いがあったのかもしれない、と思ったりしました。その後の宮中への招待も光栄に感じましたが、日本の国体というものが人間で構成されていることを実感するいい機会であったのです。

その安倍氏が今度は、凶弾に倒られました。私は深く憤りを感じ、氏に、国民の一人として感謝の気持ちを新たにし、それを礎に未来に向かって行きたいと思います。

田中英道

二〇二二年一二月

<著者略歴>

田中英道（たなか・ひでみち）

東北大学名誉教授、歴史家、美術史家。1942年東京都生まれ。東大文学部仏文科卒、美術史学科卒。ストラスブール大学でドラクラ（博士号）取得。文学博士。国際美術史学会副会長、ローマ大学客員教授、東北大学教授などを歴任。退官後、国際教養大学特任教授、ボローニャ大学客員教授を務めた。フランス・イタリア美術史に関する論文を多数、発表。フランス、イタリア美術史研究の第一人者として活躍する一方、日本美術の世界的価値に着目し、精力的な研究を展開している。また日本独自の文化・歴史の重要性を提唱し、日本国史学会の代表を務める。特に最近は日本の古代史における日高見国（ひたかみのくに）から、秦氏＝ユダヤ人の関係の考察を行っている。主な著書に、『日本美術全史』（講談社）、『冬の闇―夜の画家ラ・トゥールとの対話―』（新潮選書）、『イタリア美術史-東洋から見た西洋美術の中心』（岩崎美術選書）、『日本にやってきたユダヤ人の古代史』（文芸社）、『新しい日本史観の教科書』（ビジネス社）など多くの著書がある。

虚構の戦後レジーム　保守を貫く覚悟と理論

■発行日　令和5年1月25日　初版第一刷発行
■著者　田中英道
■発行者　漆原亮太
■発行所　啓文社書房
〒160-0022　東京都新宿区新宿5-7-8　ランザン5ビル5F
電話 03-6709-8872　FAX 03-6709-8873
■発売所　株式会社啓文社
■DTP　株式会社三協美術
■印刷・製本　株式会社 光邦

ISBN 978-4-89992-082-3　C0030　Printed in Japan